힘이 붙는 수학

연산

단계별 학습 내용

1 초1 수준

A	B
1단계 9까지의 수	1단계 100까지의 수
2단계 9까지의 수를 모으기, 가르기	2단계 덧셈과 뺄셈(1)
3단계 덧셈과 뺄셈	3단계 덧셈과 뺄셈(2)
4단계 50까지의 수	4단계 덧셈과 뺄셈(3)

2 초2 수준

A	B
1단계 세 자리 수	1단계 네 자리 수
2단계 덧셈과 뺄셈	2단계 곱셈구구
3단계 덧셈과 뺄셈의 관계	3단계 길이의 계산
4단계 세 수의 덧셈과 뺄셈	4단계 시각과 시간
5단계 곱셈	

3 초3 수준

A	B
1단계 덧셈과 뺄셈	1단계 곱셈
2단계 나눗셈	2단계 나눗셈
3단계 곱셈	3단계 분수
4단계 길이와 시간	4단계 들이
5단계 분수와 소수	5단계 무게

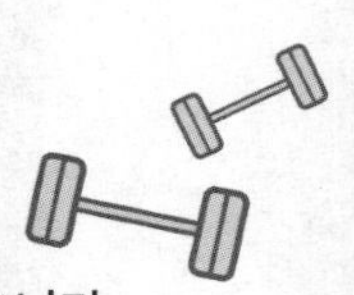

전체 학습 설계도를 보고 초등 수학의 과정을 알 수 있습니다.

4 초4 수준

A	B
1단계 큰 수	1단계 분수의 덧셈
2단계 각도	2단계 분수의 뺄셈
3단계 곱셈	3단계 소수
4단계 나눗셈	4단계 소수의 덧셈
	5단계 소수의 뺄셈

5 초5 수준

A	B
1단계 자연수의 혼합 계산	1단계 수의 범위
2단계 약수와 배수	2단계 어림하기
3단계 약분과 통분	3단계 분수의 곱셈
4단계 분수의 덧셈과 뺄셈	4단계 소수의 곱셈
5단계 다각형의 둘레와 넓이	5단계 평균

6 초6 수준

A	B
1단계 분수의 나눗셈	1단계 분수의 나눗셈
2단계 소수의 나눗셈	2단계 소수의 나눗셈
3단계 비와 비율	3단계 비례식
4단계 직육면체의 부피와 겉넓이	4단계 비례배분
	5단계 원의 넓이

이렇게 공부해 봐

1 개념 정리

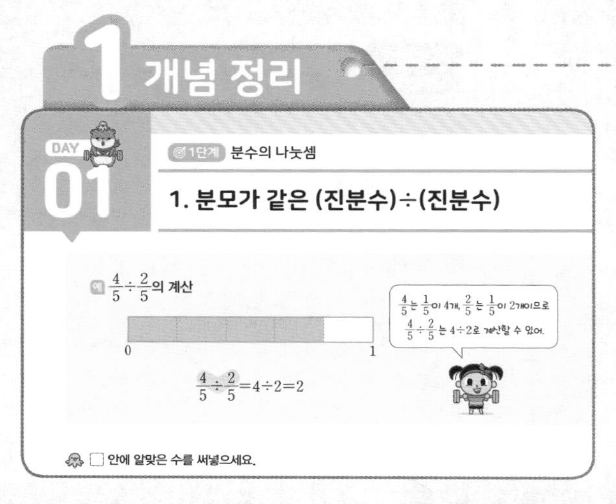

개념 정리 내용을 확인하며 계산 원리를 충분히 이해해요.

2 연산 학습

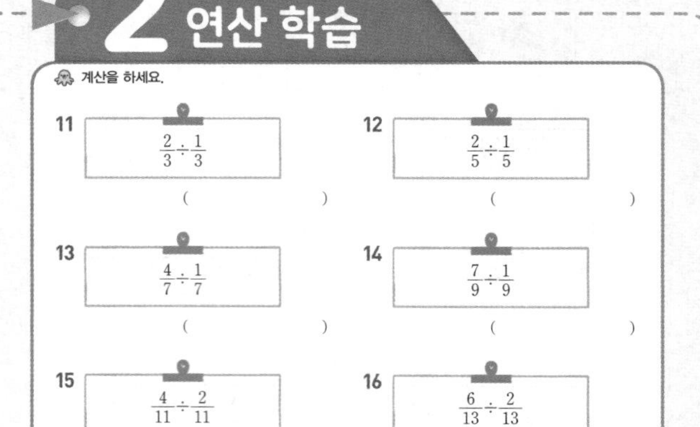

다양한 유형의 연산 문제를 통해 연산력을 강화해요. 매일 연산 학습을 반복하면 더 효과적으로 학습할 수 있어요.

3 생활 속 연산

다양한 실생활 속 상황에서 연산력을 키워 문제를 해결해요.

4 마무리 연산

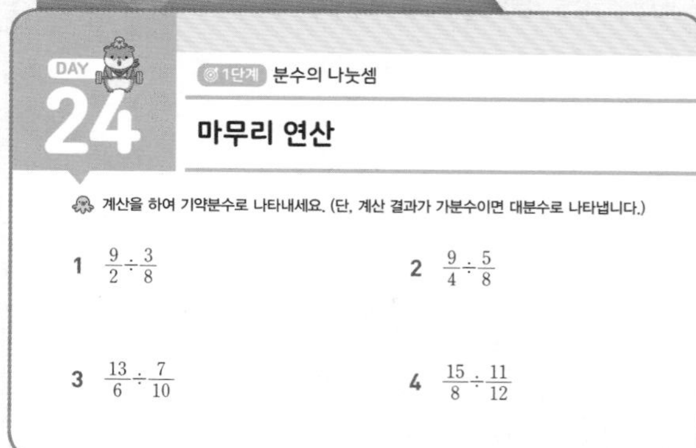

연산 학습을 잘했는지 문제를 풀어 보며 확인해요.

Contents 차례

1

분수의 나눗셈

학습 결과와 시간을 써 보세요!

학습 내용	학습 회차	맞힌 개수/걸린 시간
1. 분모가 같은 (진분수)÷(진분수)	DAY 01	/
	DAY 02	/
	DAY 03	/
	DAY 04	/
	DAY 05	/
	DAY 06	/
2. 분모가 다른 (진분수)÷(진분수)	DAY 07	/
	DAY 08	/
	DAY 09	/
3. (자연수)÷(진분수)	DAY 10	/
	DAY 11	/
	DAY 12	/
	DAY 13	/
4. (가분수)÷(진분수)	DAY 14	/
	DAY 15	/
	DAY 16	/
5. (대분수)÷(진분수)	DAY 17	/
	DAY 18	/
	DAY 19	/
6. (대분수)÷(대분수)	DAY 20	/
	DAY 21	/
	DAY 22	/
마무리 연산	DAY 23	/
	DAY 24	/

1. 분모가 같은 (진분수)÷(진분수)

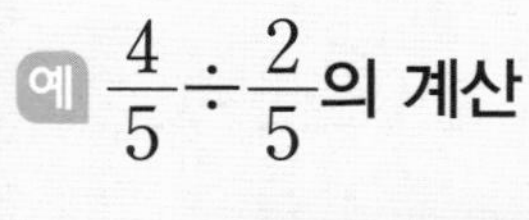

예 $\frac{4}{5} \div \frac{2}{5}$의 계산

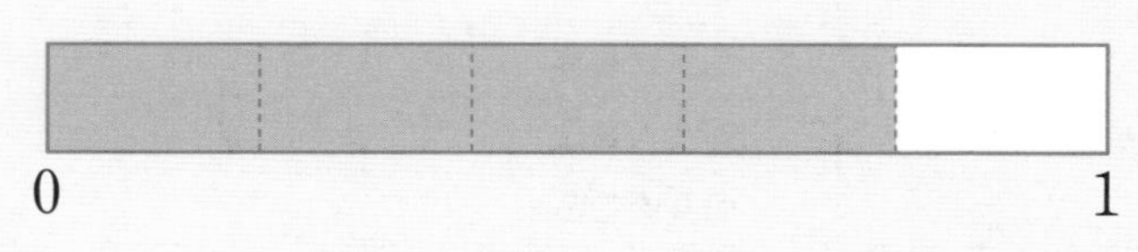

$\frac{4}{5} \div \frac{2}{5} = 4 \div 2 = 2$

$\frac{4}{5}$는 $\frac{1}{5}$이 4개, $\frac{2}{5}$는 $\frac{1}{5}$이 2개이므로
$\frac{4}{5} \div \frac{2}{5}$는 $4 \div 2$로 계산할 수 있어.

□ 안에 알맞은 수를 써넣으세요.

1 $\frac{4}{7} \div \frac{1}{7} = 4 \div$ [1] $=$ [4]

분모가 같으니까 분자끼리 나눠!

2 $\frac{5}{6} \div \frac{1}{6} = 5 \div$ □ $=$ □

3 $\frac{7}{9} \div \frac{1}{9} =$ □ $\div 1 =$ □

4 $\frac{9}{10} \div \frac{1}{10} =$ □ $\div 1 =$ □

5 $\frac{8}{15} \div \frac{4}{15} =$ □ $\div$ □ $=$ □

6 $\frac{12}{17} \div \frac{4}{17} =$ □ $\div$ □ $=$ □

7 $\frac{15}{19} \div \frac{3}{19} =$ □ $\div$ □ $=$ □

8 $\frac{16}{21} \div \frac{4}{21} =$ □ $\div$ □ $=$ □

9 $\frac{15}{23} \div \frac{5}{23} =$ □ $\div$ □ $=$ □

10 $\frac{18}{25} \div \frac{6}{25} =$ □ $\div$ □ $=$ □

계산을 하세요.

11

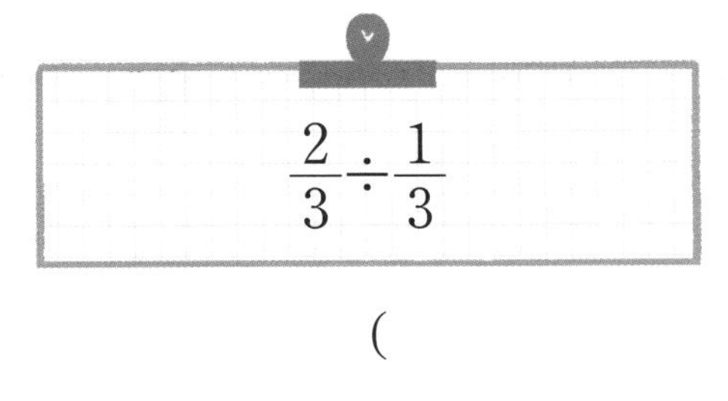

(　　　　　　)

12

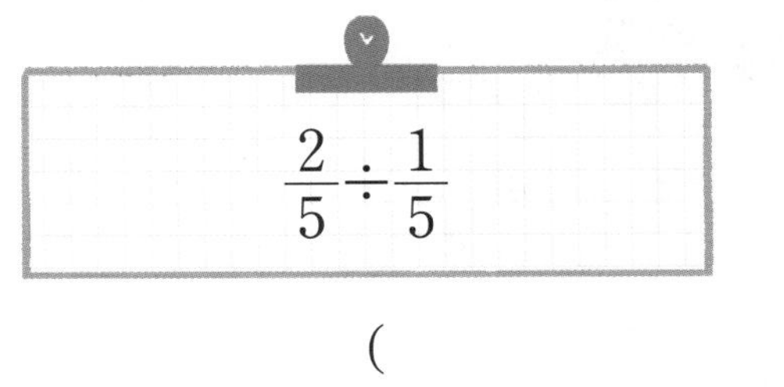

(　　　　　　)

13

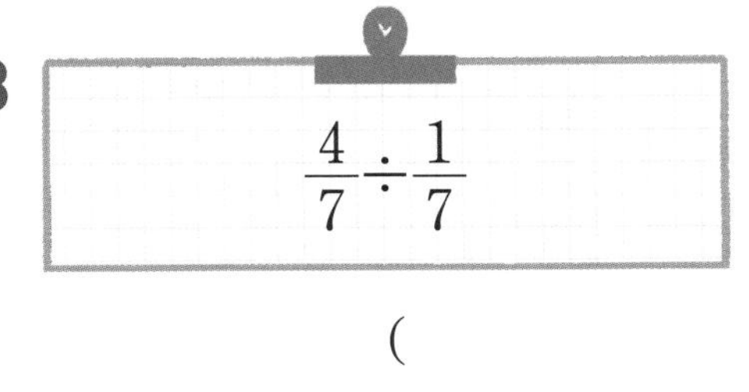

(　　　　　　)

14

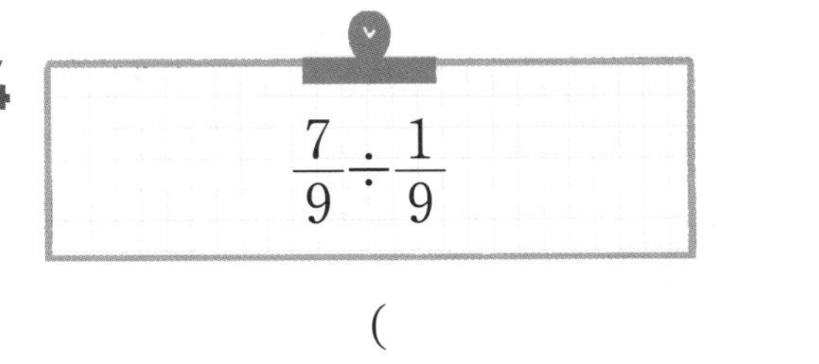

(　　　　　　)

15

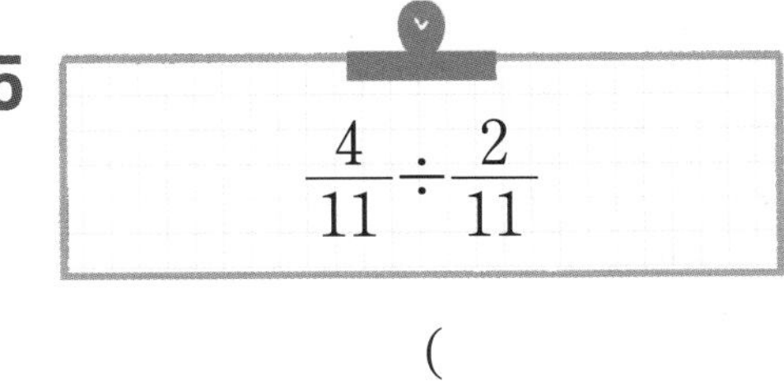

(　　　　　　)

16

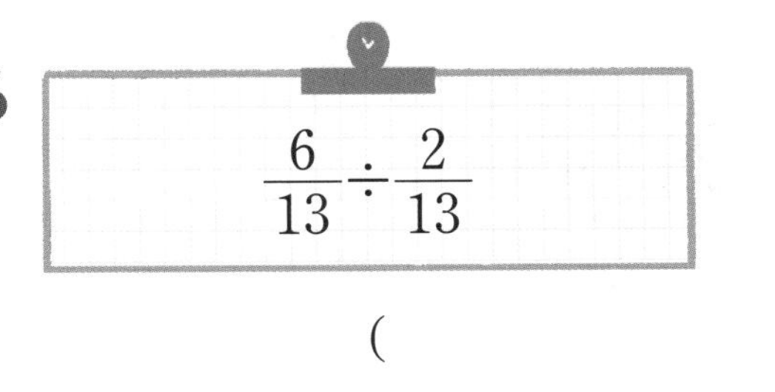

(　　　　　　)

17

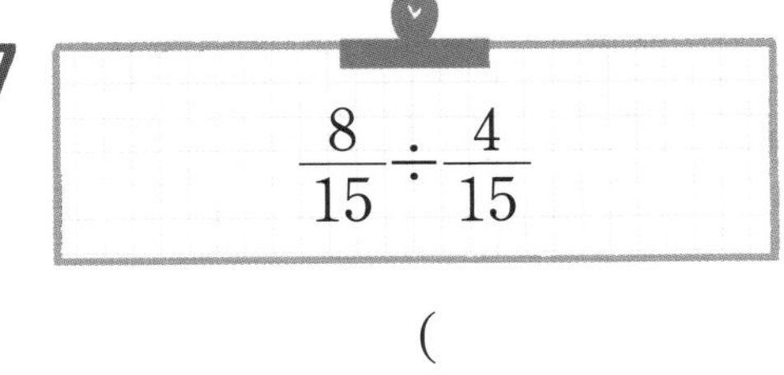

(　　　　　　)

18

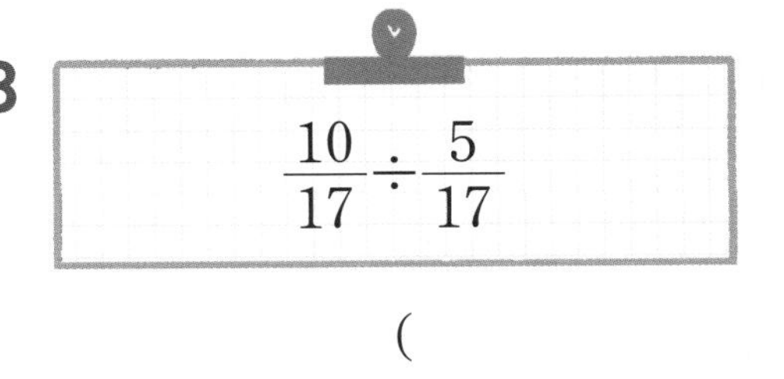

(　　　　　　)

19

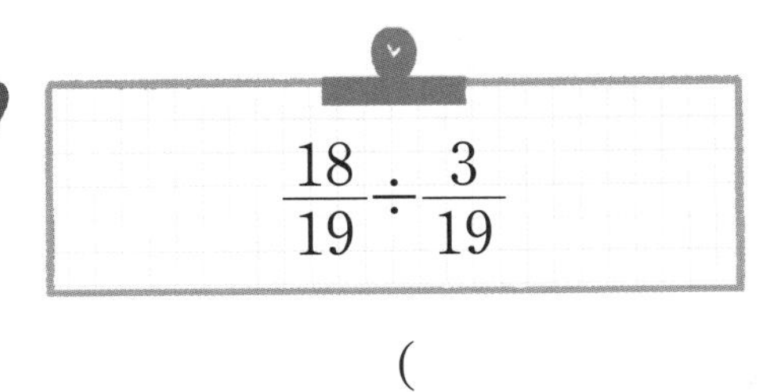

(　　　　　　)

20

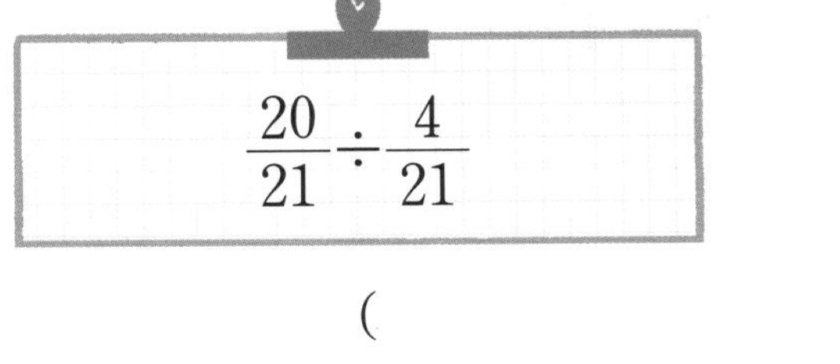

(　　　　　　)

21

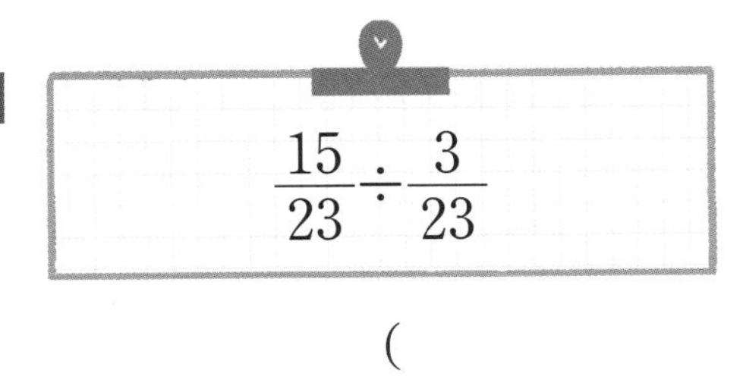

(　　　　　　)

22

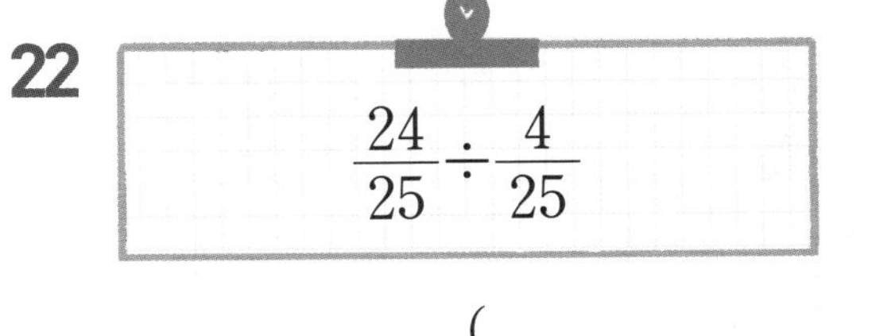

(　　　　　　)

DAY 02

1단계 분수의 나눗셈

1. 분모가 같은 (진분수)÷(진분수)

계산을 하세요.

1 $\frac{3}{4} \div \frac{1}{4}$

2 $\frac{4}{7} \div \frac{1}{7}$

3 $\frac{8}{9} \div \frac{2}{9}$

4 $\frac{9}{10} \div \frac{3}{10}$

5 $\frac{12}{13} \div \frac{6}{13}$

6 $\frac{10}{13} \div \frac{2}{13}$

7 $\frac{15}{17} \div \frac{3}{17}$

8 $\frac{16}{19} \div \frac{4}{19}$

9 $\frac{8}{11} \div \frac{4}{11}$

10 $\frac{15}{16} \div \frac{5}{16}$

11 $\frac{20}{21} \div \frac{4}{21}$

12 $\frac{8}{15} \div \frac{2}{15}$

13 $\frac{22}{25} \div \frac{11}{25}$

14 $\frac{27}{29} \div \frac{3}{29}$

계산을 하세요.

15

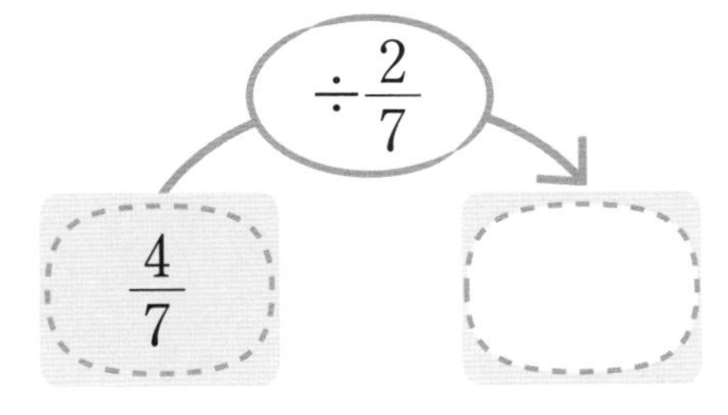

16

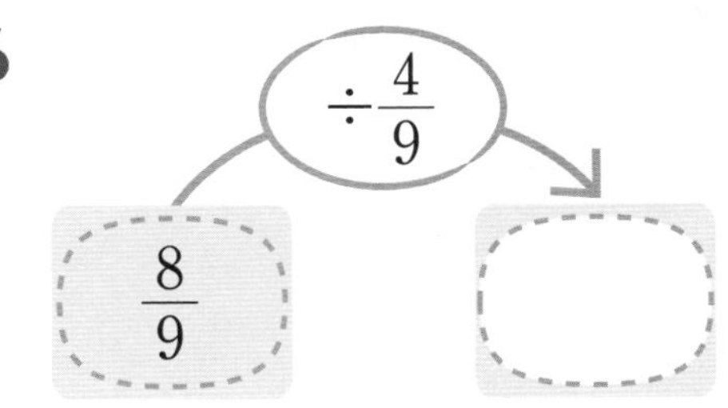

17

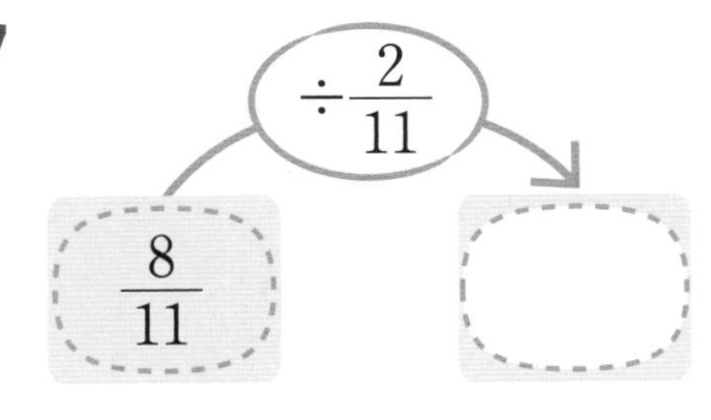

18

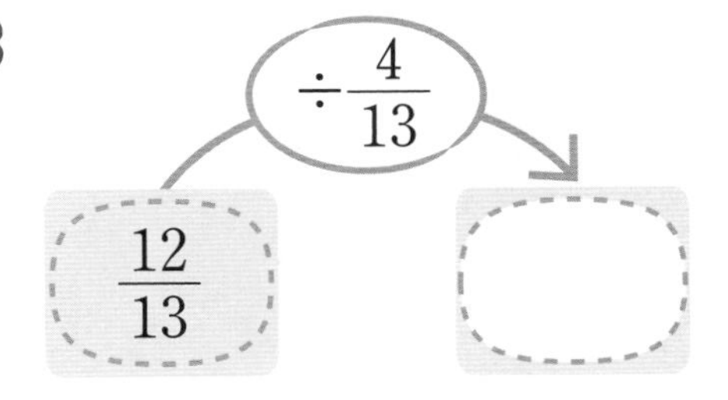

19

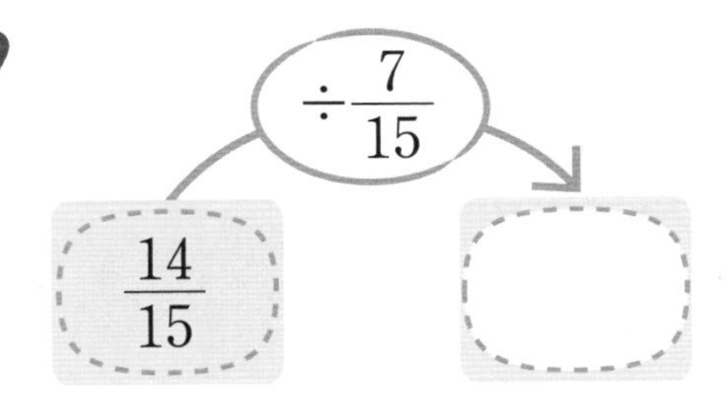

20

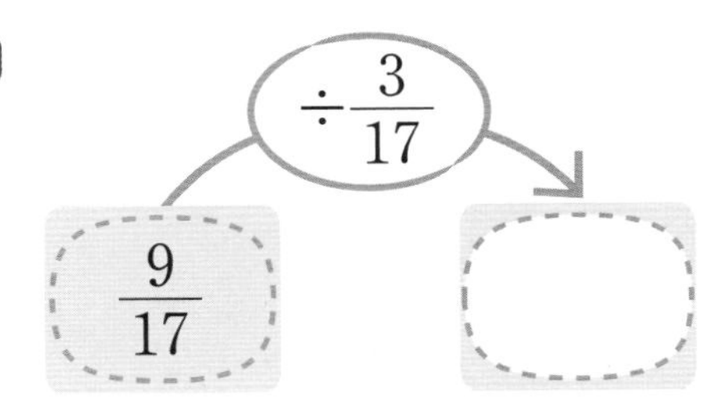

21

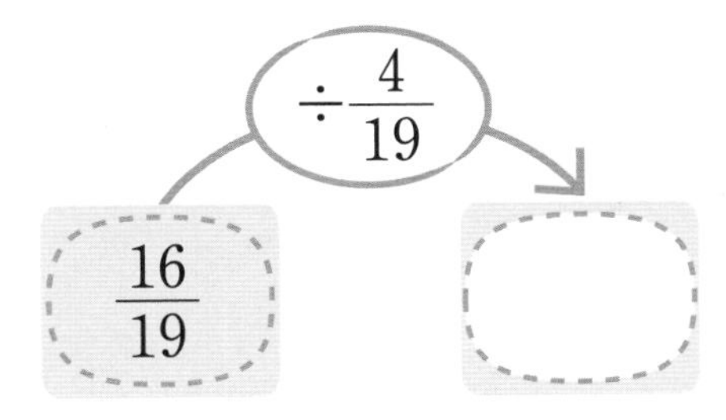

22

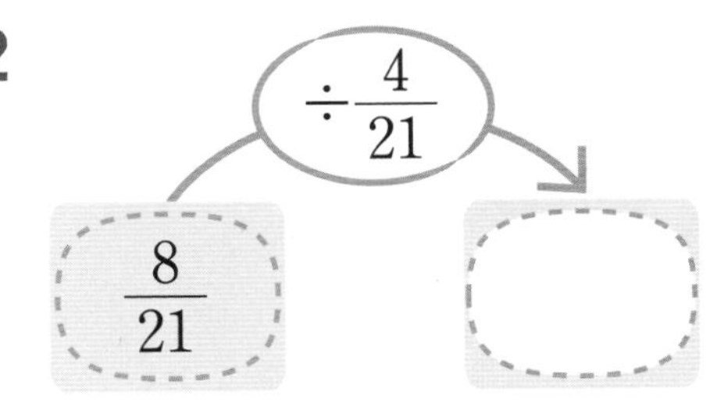

23

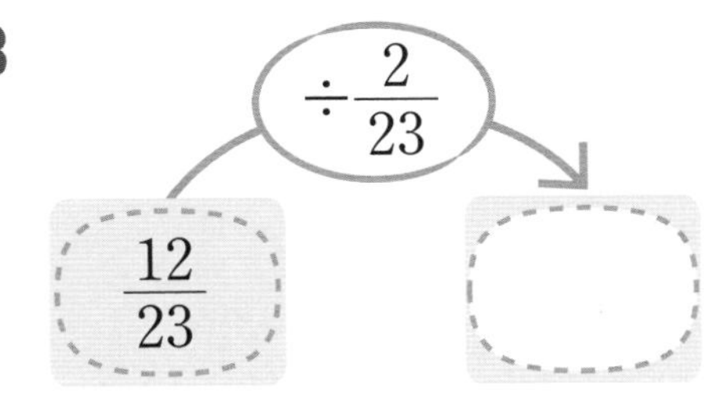

24

$\div \frac{3}{25}$

$\frac{12}{25}$

1단계 분수의 나눗셈

1. 분모가 같은 (진분수)÷(진분수)

계산을 하세요.

1 $\frac{5}{7}\div\frac{1}{7}$

2 $\frac{7}{8}\div\frac{1}{8}$

3 $\frac{5}{9}\div\frac{1}{9}$

4 $\frac{3}{10}\div\frac{1}{10}$

5 $\frac{6}{7}\div\frac{3}{7}$

6 $\frac{4}{9}\div\frac{2}{9}$

7 $\frac{9}{10}\div\frac{3}{10}$

8 $\frac{8}{11}\div\frac{4}{11}$

9 $\frac{12}{13}\div\frac{3}{13}$

10 $\frac{14}{15}\div\frac{2}{15}$

11 $\frac{15}{16}\div\frac{5}{16}$

12 $\frac{16}{17}\div\frac{8}{17}$

13 $\frac{18}{19}\div\frac{3}{19}$

14 $\frac{20}{21}\div\frac{5}{21}$

계산을 하세요.

15

16

17

18

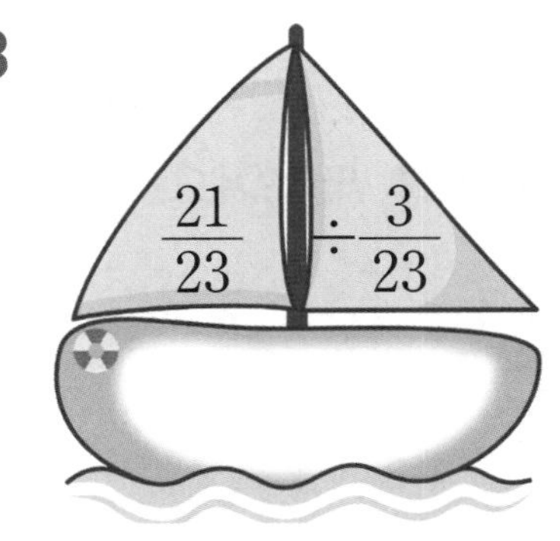

19

20

21

22

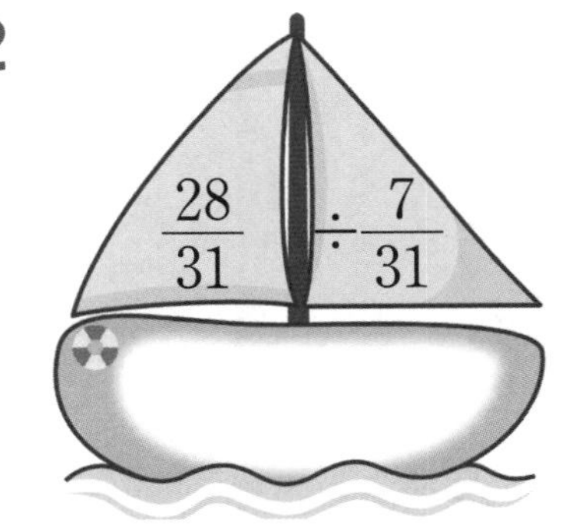

DAY 04

1단계 분수의 나눗셈

1. 분모가 같은 (진분수)÷(진분수)

예 $\frac{3}{5}\div\frac{4}{5}$의 계산

3은 분자로!

$$\frac{3}{5}\div\frac{4}{5}=3\div4=\frac{3}{4}$$

4는 분모로!

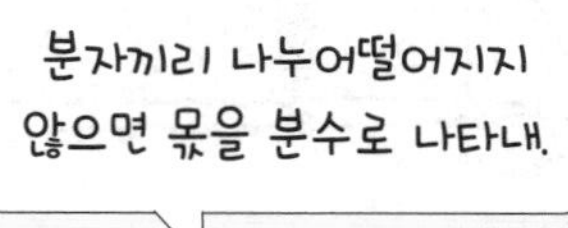

□ 안에 알맞은 수를 써넣으세요.

1 $\frac{1}{6}\div\frac{5}{6}=1\div5=\frac{\boxed{1}}{5}$

2 $\frac{2}{7}\div\frac{5}{7}=2\div5=\frac{\square}{5}$

3 $\frac{3}{8}\div\frac{7}{8}=3\div\square=\frac{3}{\square}$

4 $\frac{4}{9}\div\frac{5}{9}=4\div\square=\frac{4}{\square}$

5 $\frac{5}{9}\div\frac{6}{9}=\square\div\square=\frac{\square}{\square}$

6 $\frac{7}{10}\div\frac{9}{10}=\square\div9=\frac{\square}{9}$

7 $\frac{7}{15}\div\frac{13}{15}=\square\div\square=\frac{\square}{\square}$

8 $\frac{8}{21}\div\frac{17}{21}=\square\div\square=\frac{\square}{\square}$

9 $\frac{4}{11}\div\frac{8}{11}=\square\div8=\frac{\square}{8}=\frac{\square}{\square}$

기약분수로 나타내!

10 $\frac{6}{13}\div\frac{8}{13}=\square\div\square=\frac{\square}{\square}=\frac{\square}{\square}$

기약분수로 나타내!

계산을 하여 기약분수로 나타내세요.

11 $\frac{1}{7} \div \frac{4}{7}$

(　　　　　)

12 $\frac{5}{9} \div \frac{7}{9}$

(　　　　　)

13 $\frac{2}{11} \div \frac{8}{11}$

(　　　　　)

14

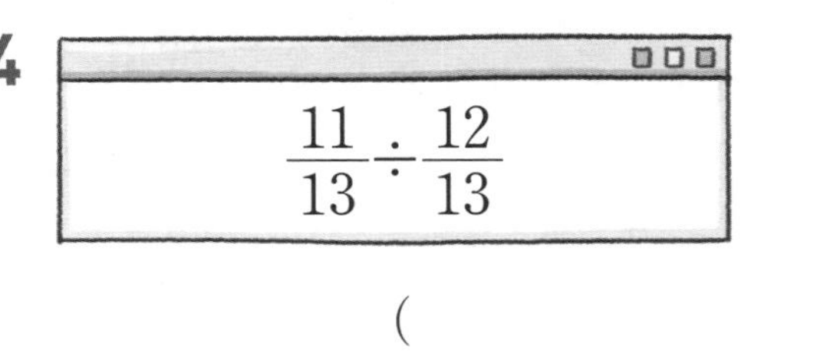

$\frac{11}{13} \div \frac{12}{13}$

(　　　　　)

15 $\frac{4}{15} \div \frac{7}{15}$

(　　　　　)

16

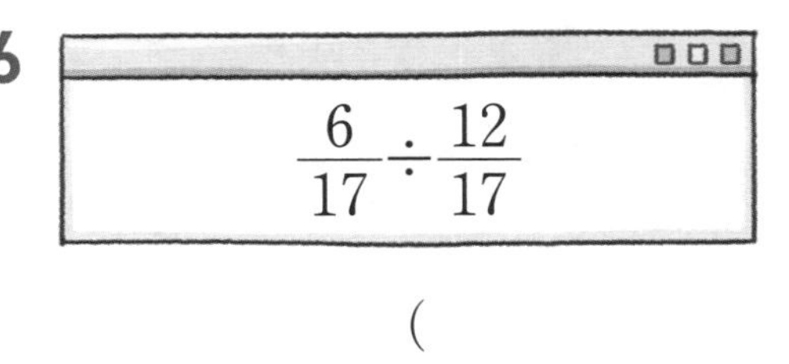

$\frac{6}{17} \div \frac{12}{17}$

(　　　　　)

17 $\frac{11}{19} \div \frac{15}{19}$

(　　　　　)

18 $\frac{8}{21} \div \frac{19}{21}$

(　　　　　)

19 $\frac{11}{23} \div \frac{14}{23}$

(　　　　　)

20 $\frac{13}{25} \div \frac{22}{25}$

(　　　　　)

21

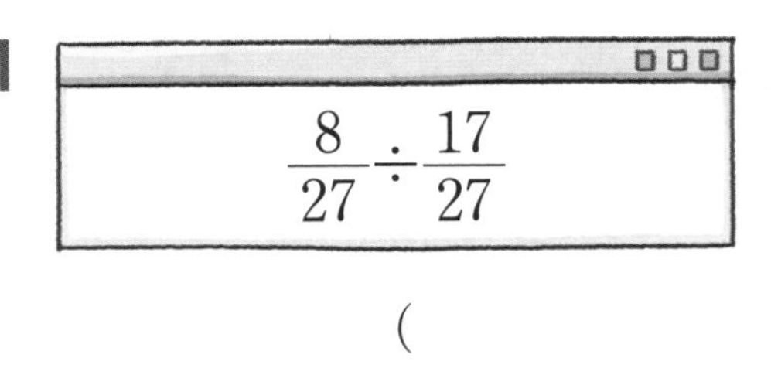

$\frac{8}{27} \div \frac{17}{27}$

(　　　　　)

22 $\frac{10}{29} \div \frac{22}{29}$

(　　　　　)

1단계 분수의 나눗셈

1. 분모가 같은 (진분수)÷(진분수)

예 $\frac{5}{8}\div\frac{3}{8}$의 계산

5는 분자로!

$$\frac{5}{8}\div\frac{3}{8}=5\div3=\frac{5}{3}=1\frac{2}{3}$$

3은 분모로!

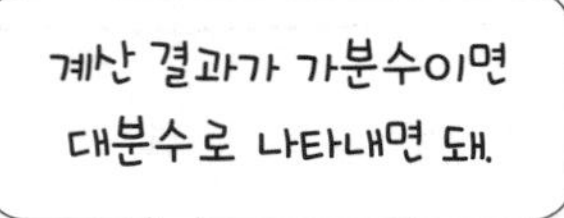

□ 안에 알맞은 수를 써넣으세요.

1 $\frac{5}{7}\div\frac{2}{7}=5\div2=\frac{\boxed{5}}{2}=\boxed{2\frac{1}{2}}$

대분수로 나타내!

2 $\frac{7}{8}\div\frac{3}{8}=7\div3=\frac{\square}{3}=\square$

3 $\frac{8}{9}\div\frac{5}{9}=8\div\square=\frac{8}{\square}=\square$

4 $\frac{9}{10}\div\frac{7}{10}=9\div\square=\frac{9}{\square}=\square$

5 $\frac{9}{11}\div\frac{5}{11}=\square\div5=\frac{\square}{5}=\square$

6 $\frac{7}{12}\div\frac{5}{12}=\square\div5=\frac{\square}{5}=\square$

7 $\frac{12}{13}\div\frac{5}{13}=\square\div\square=\frac{\square}{\square}$

$=\square$

8 $\frac{11}{14}\div\frac{9}{14}=\square\div\square=\frac{\square}{\square}$

$=\square$

계산을 하세요. (단, 계산 결과가 가분수이면 대분수로 나타냅니다.)

9 $\frac{3}{5}$ → $\div \frac{2}{5}$ → □

10 $\frac{5}{7}$ → $\div \frac{3}{7}$ → □

11 $\frac{7}{9}$ → $\div \frac{2}{9}$ → □

12 $\frac{9}{11}$ → $\div \frac{5}{11}$ → □

13 $\frac{11}{12}$ → $\div \frac{5}{12}$ → □

14 $\frac{9}{13}$ → $\div \frac{8}{13}$ → □

15 $\frac{11}{15}$ → $\div \frac{4}{15}$ → □

16 $\frac{9}{16}$ → $\div \frac{5}{16}$ → □

17 $\frac{17}{18}$ → $\div \frac{11}{18}$ → □

18 $\frac{19}{20}$ → $\div \frac{3}{20}$ → □

1단계 분수의 나눗셈

1. 분모가 같은 (진분수)÷(진분수)

계산을 하여 기약분수로 나타내세요. (단, 계산 결과가 가분수이면 대분수로 나타냅니다.)

1 $\frac{3}{10} \div \frac{9}{10}$

2 $\frac{4}{11} \div \frac{9}{11}$

3 $\frac{5}{12} \div \frac{7}{12}$

4 $\frac{4}{13} \div \frac{11}{13}$

5 $\frac{5}{14} \div \frac{11}{14}$

6 $\frac{7}{15} \div \frac{13}{15}$

7 $\frac{9}{16} \div \frac{15}{16}$

8 $\frac{15}{17} \div \frac{4}{17}$

9 $\frac{13}{18} \div \frac{5}{18}$

10 $\frac{15}{19} \div \frac{10}{19}$

11 $\frac{17}{20} \div \frac{9}{20}$

12 $\frac{20}{21} \div \frac{8}{21}$

13 $\frac{15}{24} \div \frac{11}{24}$

14 $\frac{19}{27} \div \frac{5}{27}$

계산을 하여 기약분수로 나타내세요. (단, 계산 결과가 가분수이면 대분수로 나타냅니다.)

15 $\frac{9}{22} \div \frac{15}{22}$

16 $\frac{3}{23} \div \frac{12}{23}$

17 $\frac{7}{24} \div \frac{17}{24}$

18 $\frac{21}{25} \div \frac{4}{25}$

19 $\frac{25}{26} \div \frac{7}{26}$

20 $\frac{16}{27} \div \frac{10}{27}$

21 $\frac{25}{28} \div \frac{9}{28}$

22 $\frac{24}{29} \div \frac{15}{29}$

생활 속 연산

수민이와 주희가 비타민을 한 알씩 먹으려고 합니다. 비타민을 먹을 때 수민이는 물 $\frac{7}{9}$ L를 마셨고, 주희는 물 $\frac{4}{9}$ L를 마셨습니다. 수민이가 마신 물의 양은 주희가 마신 물의 양의 몇 배인지 구하세요.

(　　　　　　　　　)

DAY 07

1단계 분수의 나눗셈

2. 분모가 다른 (진분수)÷(진분수)

예 $\frac{2}{3} \div \frac{3}{5}$의 계산

$$\frac{2}{3} \div \frac{3}{5} = \frac{2\times5}{3\times5} \div \frac{3\times3}{5\times3} = \frac{10}{15} \div \frac{9}{15}$$

$$= 10 \div 9 = \frac{10}{9} = 1\frac{1}{9}$$

분모를 15로 통분해.

분자끼리의 나눗셈을 해.

두 분모의 곱이나 두 분모의 최소공배수로 통분하자!

□ 안에 알맞은 수를 써넣으세요.

1 $\frac{1}{3} \div \frac{3}{5} = \frac{1\times5}{3\times5} \div \frac{3\times3}{5\times3} = \frac{5}{15} \div \frac{9}{15} = \boxed{5} \div \boxed{9} = \frac{\boxed{5}}{\boxed{9}}$

2 $\frac{2}{5} \div \frac{5}{9} = \frac{2\times9}{5\times9} \div \frac{5\times5}{9\times5} = \frac{18}{45} \div \frac{25}{45} = \square \div \square = \frac{\square}{\square}$

3 $\frac{3}{7} \div \frac{3}{4} = \frac{3\times4}{7\times4} \div \frac{3\times\square}{4\times\square} = \frac{12}{28} \div \frac{\square}{28} = \square \div \square = \frac{\square}{\square} = \frac{\square}{\square}$

기약분수로 나타내!

4 $\frac{7}{9} \div \frac{5}{6} = \frac{7\times\square}{9\times\square} \div \frac{5\times3}{6\times3} = \frac{\square}{18} \div \frac{15}{18} = \square \div \square = \frac{\square}{\square}$

5 $\frac{9}{11} \div \frac{4}{5} = \frac{9\times\square}{11\times\square} \div \frac{4\times\square}{5\times\square} = \frac{\square}{55} \div \frac{\square}{55} = \frac{\square}{\square} = \square$

공부한 날 월 일

계산을 하여 기약분수로 나타내세요. (단, 계산 결과가 가분수이면 대분수로 나타냅니다.)

6 $\frac{1}{2} \div \frac{2}{3}$

7 $\frac{2}{3} \div \frac{3}{4}$

8 $\frac{3}{4} \div \frac{5}{16}$

9 $\frac{4}{7} \div \frac{8}{13}$

10 $\frac{5}{6} \div \frac{1}{3}$

11

12 $\frac{5}{8} \div \frac{7}{10}$

13 $\frac{2}{9} \div \frac{5}{18}$

14 $\frac{3}{10} \div \frac{2}{5}$

15

16

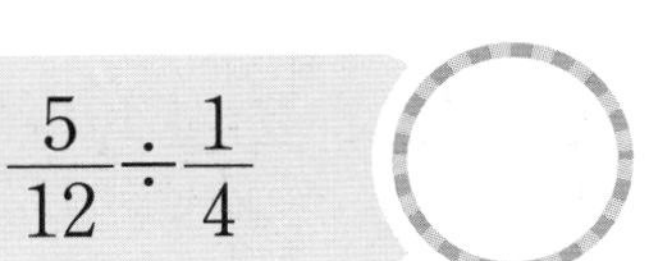

17

DAY 08

1단계 분수의 나눗셈

2. 분모가 다른 (진분수)÷(진분수)

예 $\frac{2}{3} \div \frac{3}{5}$의 계산

나눗셈을 곱셈으로 바꿔.

$$\frac{2}{3} \div \frac{3}{5} = \frac{2}{3} \times \frac{5}{3} = \frac{10}{9} = 1\frac{1}{9}$$

분모와 분자의 위치를 바꾸어 곱해!

÷를 ×로 바꾸고 나누는 진분수의 분모와 분자의 자리를 바꿔서 계산해 봐!

□ 안에 알맞은 수를 써넣으세요.

1 $\frac{1}{3} \div \frac{3}{5} = \frac{1}{3} \times \frac{\boxed{5}}{\boxed{3}} = \frac{\boxed{5}}{\boxed{9}}$

2 $\frac{3}{4} \div \frac{7}{8} = \frac{3}{\underset{1}{\cancel{4}}} \times \frac{\overset{2}{\cancel{8}}}{\square} = \frac{\square}{\square}$

약분이 가능하면 약분을 먼저 해.

3 $\frac{3}{7} \div \frac{3}{4} = \frac{\overset{1}{\cancel{3}}}{7} \times \frac{\square}{\underset{1}{\cancel{3}}} = \frac{\square}{\square}$

4 $\frac{5}{9} \div \frac{2}{3} = \frac{5}{\underset{3}{\cancel{9}}} \times \frac{\overset{1}{\cancel{3}}}{\square} = \frac{\square}{\square}$

5 $\frac{3}{13} \div \frac{6}{7} = \frac{\overset{1}{\cancel{3}}}{13} \times \frac{\square}{\underset{2}{\cancel{6}}} = \frac{\square}{\square}$

6 $\frac{6}{11} \div \frac{3}{4} = \frac{\overset{2}{\cancel{6}}}{11} \times \frac{\square}{\underset{1}{\cancel{3}}} = \frac{\square}{\square}$

7 $\frac{8}{15} \div \frac{4}{7} = \frac{\overset{2}{\cancel{8}}}{15} \times \frac{\square}{\underset{1}{\cancel{4}}} = \frac{\square}{\square}$

8 $\frac{6}{17} \div \frac{3}{5} = \frac{\overset{2}{\cancel{6}}}{17} \times \frac{\square}{\underset{1}{\cancel{3}}} = \frac{\square}{\square}$

계산을 하여 기약분수로 나타내세요. (단, 계산 결과가 가분수이면 대분수로 나타냅니다.)

9 $\frac{1}{4} \div \frac{5}{12}$

10 
$\frac{3}{5} \div \frac{1}{3}$

11 $\frac{3}{7} \div \frac{5}{14}$

12 $\frac{3}{8} \div \frac{2}{7}$

13 $\frac{5}{9} \div \frac{5}{6}$

14 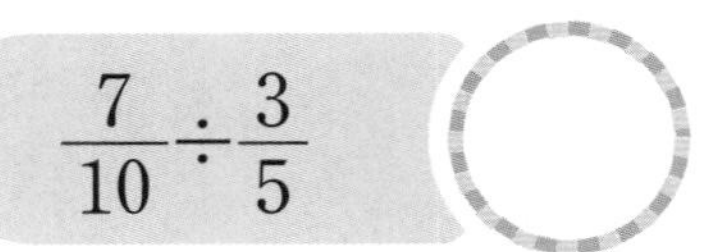
$\frac{7}{10} \div \frac{3}{5}$

15 $\frac{7}{11} \div \frac{7}{12}$

16 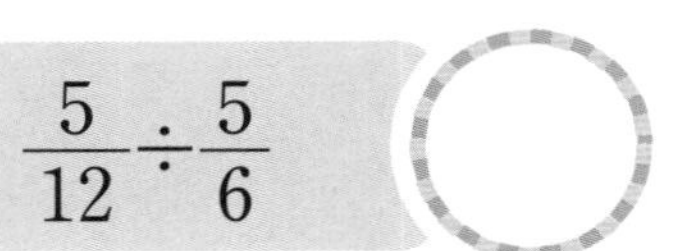
$\frac{5}{12} \div \frac{5}{6}$

17 $\frac{11}{14} \div \frac{3}{4}$

18 $\frac{8}{15} \div \frac{3}{7}$

19 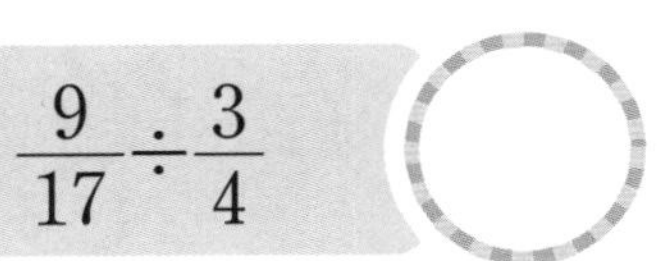
$\frac{9}{17} \div \frac{3}{4}$

20 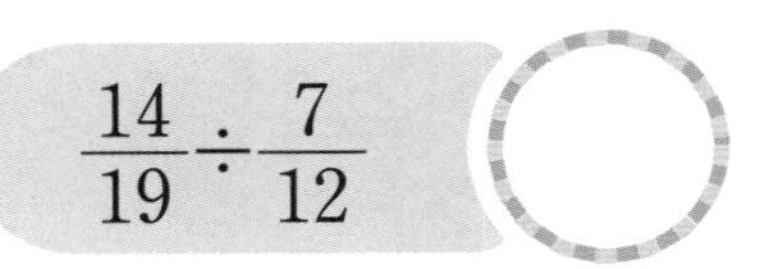
$\frac{14}{19} \div \frac{7}{12}$

DAY 09

1단계 분수의 나눗셈

2. 분모가 다른 (진분수)÷(진분수)

계산을 하여 기약분수로 나타내세요. (단, 계산 결과가 가분수이면 대분수로 나타냅니다.)

1 $\frac{5}{6}\div\frac{5}{18}$

2 $\frac{5}{7}\div\frac{1}{5}$

3 $\frac{7}{8}\div\frac{5}{24}$

4 $\frac{1}{9}\div\frac{1}{4}$

5 $\frac{9}{10}\div\frac{5}{6}$

6 $\frac{7}{11}\div\frac{3}{4}$

7 $\frac{7}{12}\div\frac{3}{8}$

8 $\frac{4}{13}\div\frac{7}{26}$

9 $\frac{9}{14}\div\frac{3}{7}$

10 $\frac{7}{15}\div\frac{7}{45}$

11 $\frac{11}{16}\div\frac{3}{8}$

12 $\frac{12}{17}\div\frac{3}{4}$

13 $\frac{7}{9}\div\frac{11}{18}$

14 $\frac{24}{25}\div\frac{8}{15}$

계산을 하여 기약분수로 나타내세요. (단, 계산 결과가 가분수이면 대분수로 나타냅니다.)

15 $\frac{7}{18} \rightarrow \div\frac{3}{8} \rightarrow$ □

16 $\frac{10}{19} \rightarrow \div\frac{2}{5} \rightarrow$ □

17 $\frac{11}{20} \rightarrow \div\frac{11}{40} \rightarrow$ □

18 $\frac{10}{21} \rightarrow \div\frac{5}{7} \rightarrow$ □

19 $\frac{15}{23} \rightarrow \div\frac{15}{16} \rightarrow$ □

20 $\frac{6}{25} \rightarrow \div\frac{2}{5} \rightarrow$ □

21 $\frac{20}{27} \rightarrow \div\frac{5}{9} \rightarrow$ □

22 $\frac{7}{30} \rightarrow \div\frac{14}{15} \rightarrow$ □

23 $\frac{10}{33} \rightarrow \div\frac{2}{11} \rightarrow$ □

24 $\frac{9}{35} \rightarrow \div\frac{27}{28} \rightarrow$ □

DAY 10

1단계 분수의 나눗셈

3. (자연수)÷(진분수)

예 $2\div\frac{1}{4}$의 계산

나눗셈을 곱셈으로 바꿔.

$$2\div\frac{1}{4}=2\times4=8$$

자연수와 단위분수의 분모를 곱해!

나눗셈을 곱셈으로 바꾸면 분모와 분자의 위치가 바뀌어.

□ 안에 알맞은 수를 써넣으세요.

1 $2\div\frac{1}{2}=2\times2=$ [4]

2 $3\div\frac{1}{4}=3\times4=$ □

3 $4\div\frac{1}{4}=4\times$ □ $=$ □

4 $5\div\frac{1}{3}=5\times$ □ $=$ □

5 $6\div\frac{1}{4}=6\times$ □ $=$ □

6 $7\div\frac{1}{3}=7\times$ □ $=$ □

7 $8\div\frac{1}{7}=$ □ $\times$ □ $=$ □

8 $9\div\frac{1}{6}=$ □ $\times$ □ $=$ □

9 $10\div\frac{1}{8}=$ □ $\times$ □ $=$ □

10 $11\div\frac{1}{9}=$ □ $\times$ □ $=$ □

친구들이 여러 가지 간식을 만들려고 합니다. 간식을 만드는 데 사용한 설탕의 양이 다음과 같을 때, 설탕 $5\,\mathrm{kg}$으로 각 간식을 몇 개까지 만들 수 있는지 구하세요.

11

➔ $5 \div \frac{1}{8} = \square$(개)

12

➔ $5 \div \frac{1}{5} = \square$(개)

13

➔ $5 \div \frac{1}{15} = \square$(개)

14

➔ $5 \div \frac{1}{14} = \square$(개)

15

➔ $5 \div \frac{1}{2} = \square$(개)

16

➔ $5 \div \frac{1}{10} = \square$(개)

17

➔ $5 \div \frac{1}{20} = \square$(개)

18

➔ $5 \div \frac{1}{9} = \square$(개)

1단계 분수의 나눗셈

3. (자연수)÷(진분수)

예 $4\div\frac{2}{5}$의 계산

$$4\div\frac{2}{5}=(4\div2)\times5=2\times5=10$$

분모를 곱해!

자연수를 분자로 나눈 몫에 분모를 곱해서 계산해 보자.

□ 안에 알맞은 수를 써넣으세요.

1 $4\div\frac{2}{3}=(4\div2)\times$ 3 $=$ 2 $\times$ 3 $=$ 6

2 $6\div\frac{2}{5}=(6\div2)\times\square=\square\times\square=\square$

3 $8\div\frac{4}{7}=(8\div\square)\times\square=\square\times\square=\square$

4 $10\div\frac{5}{9}=(10\div\square)\times\square=\square\times\square=\square$

5 $12\div\frac{4}{9}=(\square\div\square)\times\square=\square\times\square=\square$

계산을 하세요.

6

$2 \div \frac{2}{3}$

(　　　　　)

7

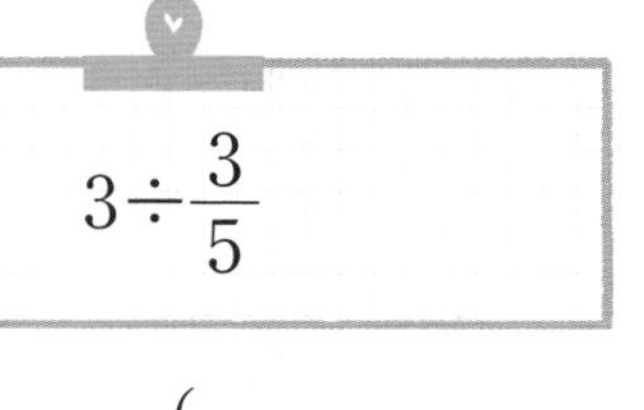

$3 \div \frac{3}{5}$

(　　　　　)

8

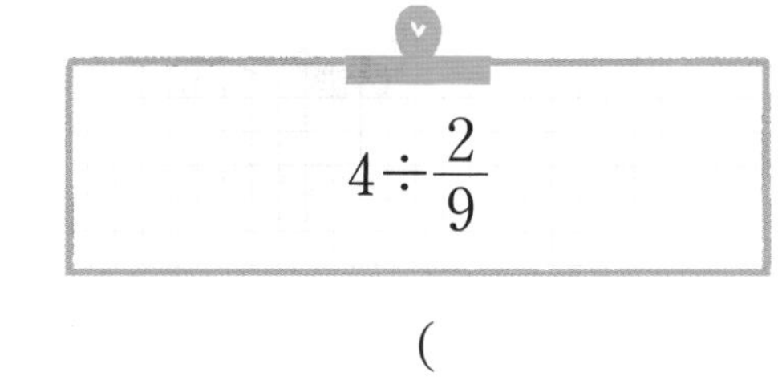

$4 \div \frac{2}{9}$

(　　　　　)

9

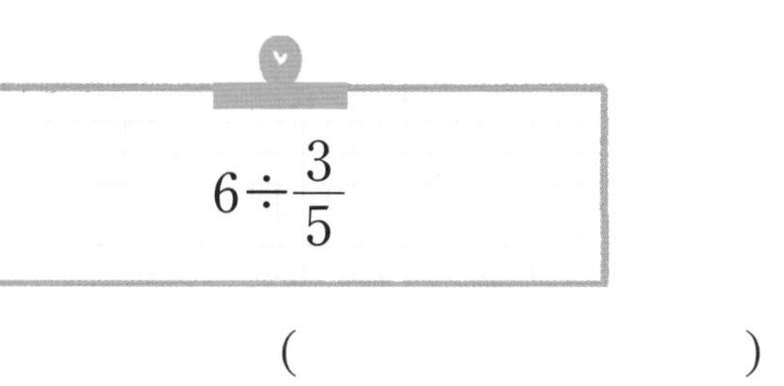

$6 \div \frac{3}{5}$

(　　　　　)

10

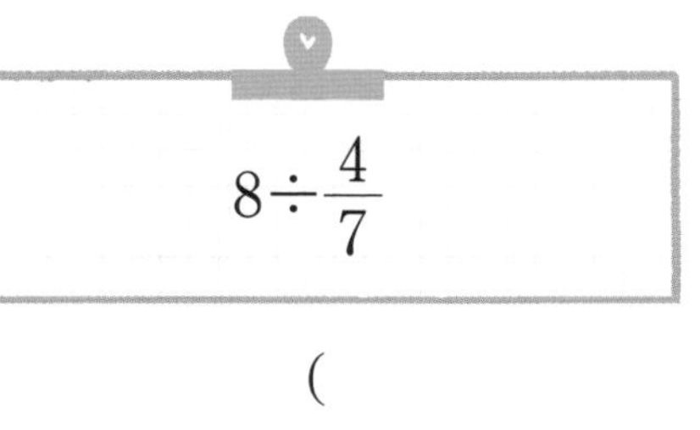

$8 \div \frac{4}{7}$

(　　　　　)

11

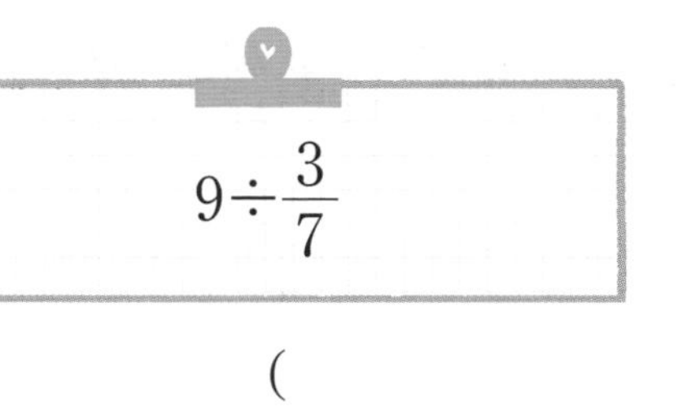

$9 \div \frac{3}{7}$

(　　　　　)

12

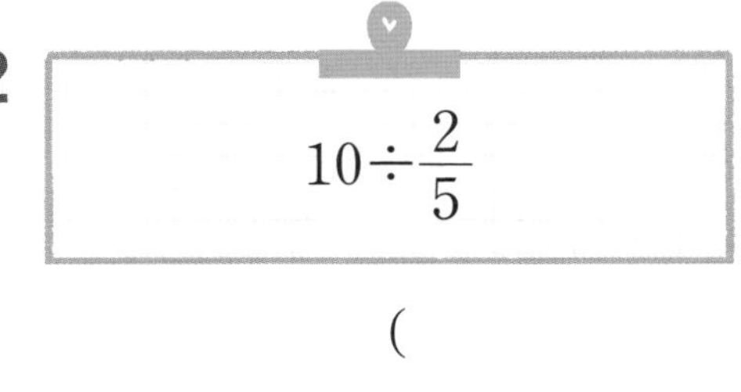

$10 \div \frac{2}{5}$

(　　　　　)

13

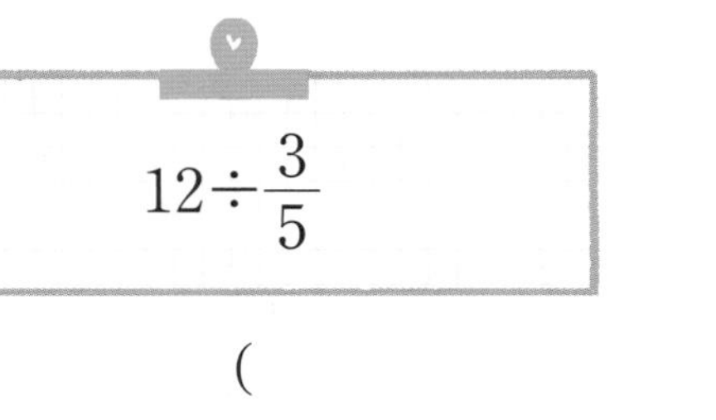

$12 \div \frac{3}{5}$

(　　　　　)

14

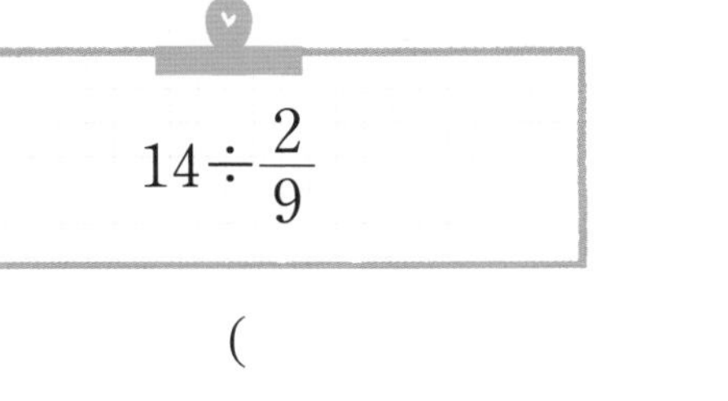

$14 \div \frac{2}{9}$

(　　　　　)

15

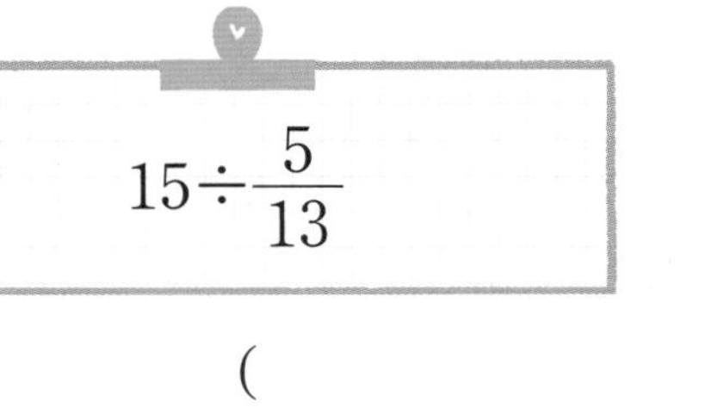

$15 \div \frac{5}{13}$

(　　　　　)

16

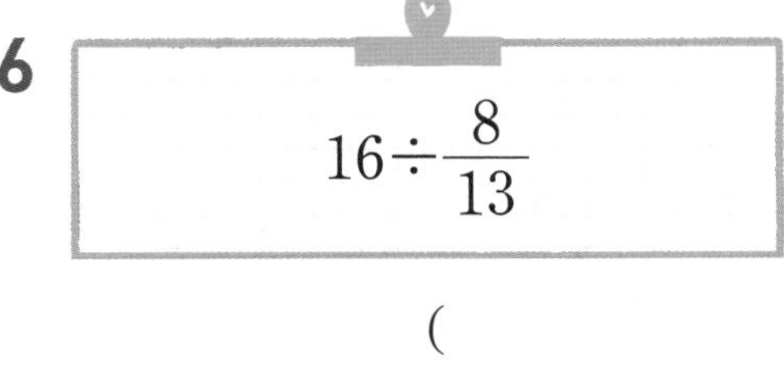

$16 \div \frac{8}{13}$

(　　　　　)

17

$20 \div \frac{10}{17}$

(　　　　　)

3. (자연수)÷(진분수)

예 $2\div\frac{4}{5}$의 계산

나눗셈을 곱셈으로 바꿔.

$$2\div\frac{4}{5}=\overset{1}{\cancel{2}}\times\frac{5}{\underset{2}{\cancel{4}}}=\frac{5}{2}=2\frac{1}{2}$$

약분이 가능하면 약분을 먼저 해.

계산 결과가 가분수이면
대분수로 바꾸어 나타내!

□ 안에 알맞은 수를 써넣으세요.

1 $2\div\frac{3}{4}=2\times\frac{4}{3}=\frac{8}{3}=2\frac{2}{3}$

2 $3\div\frac{5}{7}=3\times\frac{\square}{\square}=\frac{\square}{\square}=\square$

3 $4\div\frac{6}{7}=\overset{2}{\cancel{4}}\times\frac{\square}{\underset{3}{\cancel{6}}}=\frac{\square}{\square}=\square$

4 $5\div\frac{4}{9}=5\times\frac{\square}{\square}=\frac{\square}{\square}=\square$

5 $6\div\frac{4}{5}=\overset{3}{\cancel{6}}\times\frac{\square}{\underset{2}{\cancel{4}}}=\frac{\square}{\square}=\square$

6 $7\div\frac{3}{5}=7\times\frac{\square}{\square}=\frac{\square}{\square}=\square$

7 $8\div\frac{5}{6}=8\times\frac{\square}{\square}=\frac{\square}{\square}=\square$

8 $9\div\frac{2}{3}=9\times\frac{\square}{\square}=\frac{\square}{\square}=\square$

계산을 하여 기약분수로 나타내세요. (단, 계산 결과가 가분수이면 대분수로 나타냅니다.)

9 $2\div\frac{4}{7}$

( )

10 $3\div\frac{5}{6}$

( )

11 $4\div\frac{3}{4}$

( )

12 $5\div\frac{10}{13}$

( )

13 $6\div\frac{9}{10}$

( )

14 $7\div\frac{2}{5}$

( )

15 $8\div\frac{6}{7}$

( )

16 $9\div\frac{6}{11}$

( )

17 $10\div\frac{6}{7}$

( )

18 $12\div\frac{9}{13}$

( )

19 $14\div\frac{6}{11}$

( )

20 $16\div\frac{6}{7}$

( )

3. (자연수)÷(진분수)

계산을 하여 기약분수로 나타내세요. (단, 계산 결과가 가분수이면 대분수로 나타냅니다.)

1 $3\div\frac{1}{2}$

2 $5\div\frac{1}{5}$

3 $7\div\frac{1}{6}$

4 $9\div\frac{1}{4}$

5 $11\div\frac{1}{8}$

6 $13\div\frac{1}{3}$

7 $2\div\frac{2}{5}$

8 $4\div\frac{2}{7}$

9 $6\div\frac{3}{11}$

10 $8\div\frac{8}{9}$

11 $10\div\frac{5}{7}$

12 $12\div\frac{6}{7}$

13 $3\div\frac{6}{7}$

14 $5\div\frac{7}{9}$

계산을 하여 기약분수로 나타내세요. (단, 계산 결과가 가분수이면 대분수로 나타냅니다.)

15

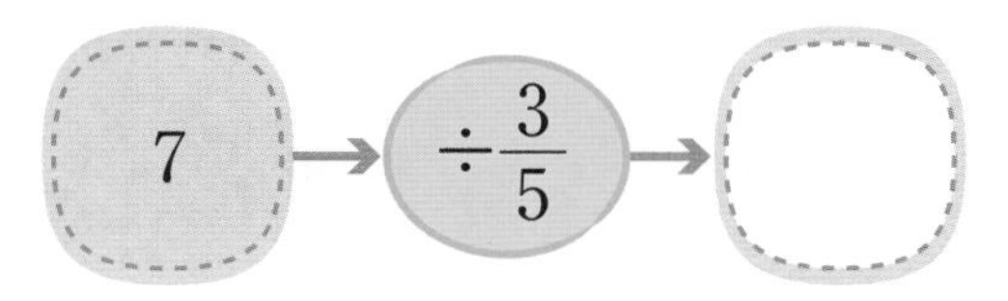

16

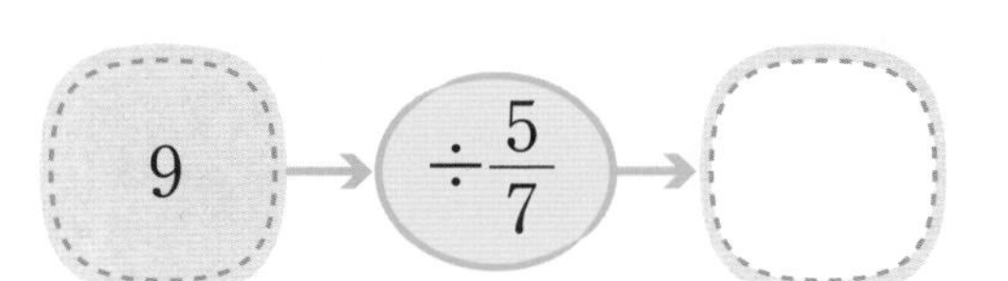

17

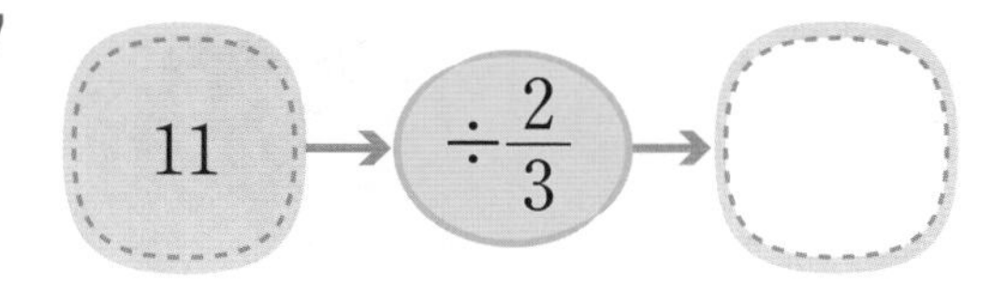

18

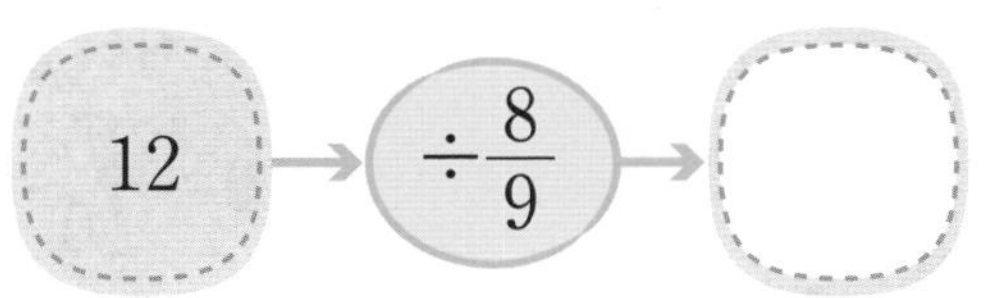

19

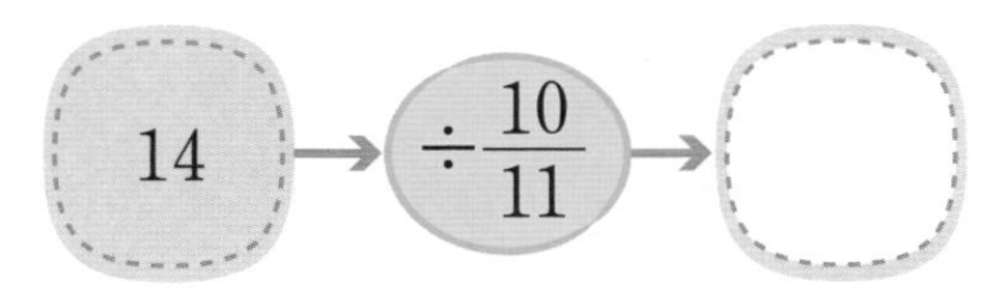

20

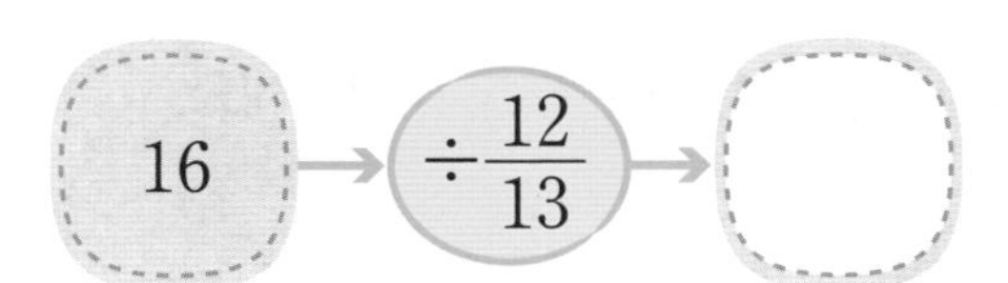

21

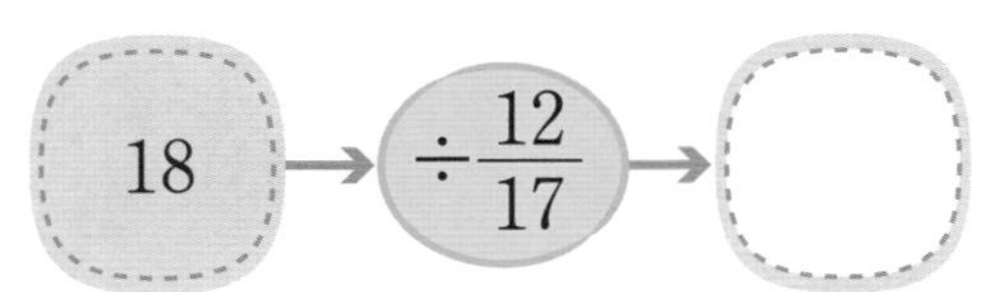

22

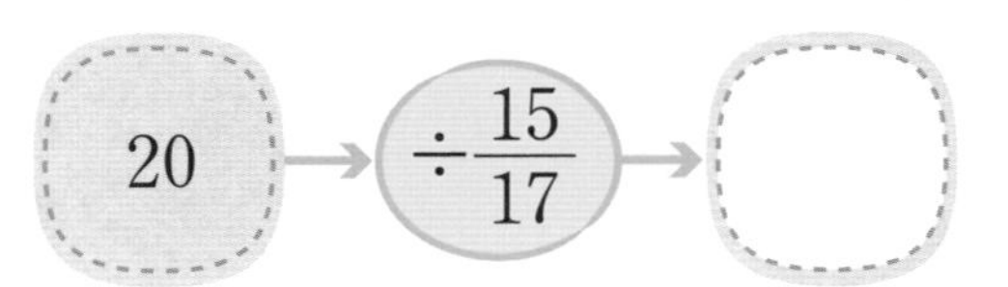

23

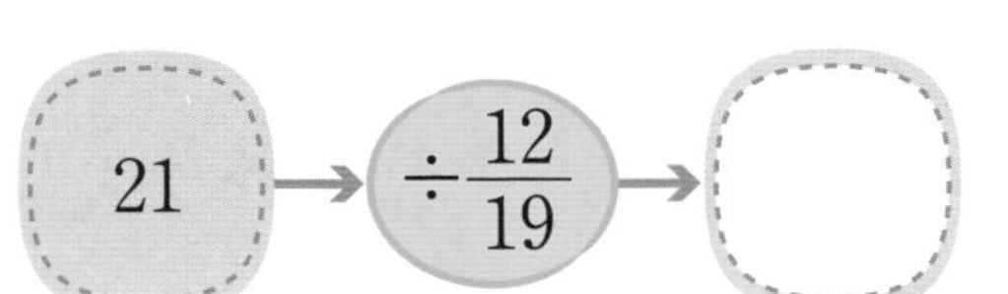

24

$35 \rightarrow \div\frac{20}{21} \rightarrow \square$

생활 속 연산

민규가 소설책 6권을 읽으려고 합니다. 하루에 $\frac{2}{7}$권씩 읽으면 며칠 동안 읽을 수 있는지 구하세요.

(　　　　　　　　)

DAY 14

◎1단계 분수의 나눗셈

4. (가분수)÷(진분수)

예 $\frac{5}{4}\div\frac{5}{6}$의 계산

$$\frac{5}{4}\div\frac{5}{6}=\frac{5\times3}{4\times3}\div\frac{5\times2}{6\times2}=\frac{15}{12}\div\frac{10}{12}$$

$$=15\div10=\frac{15}{10}=\frac{3}{2}=1\frac{1}{2}$$

분모를 12로 통분해.

분자끼리의 나눗셈을 해.

계산 결과가 가분수이면 대분수로 바꾸어 나타내.

□ 안에 알맞은 수를 써넣으세요.

1 $\frac{5}{2}\div\frac{3}{4}=\frac{5\times2}{2\times2}\div\frac{3}{4}=\frac{10}{4}\div\frac{3}{4}=\boxed{10}\div\boxed{3}=\frac{\boxed{10}}{\boxed{3}}=\boxed{3\frac{1}{3}}$

2 $\frac{5}{4}\div\frac{2}{3}=\frac{5\times3}{4\times3}\div\frac{2\times4}{3\times4}=\frac{15}{12}\div\frac{8}{12}=\square\div\square=\frac{\square}{\square}=\square$

3 $\frac{7}{6}\div\frac{4}{9}=\frac{7\times3}{6\times3}\div\frac{4\times\square}{9\times\square}=\frac{21}{18}\div\frac{\square}{18}=\square\div\square=\frac{\square}{\square}=\square$

4 $\frac{11}{8}\div\frac{3}{10}=\frac{11\times\square}{8\times\square}\div\frac{3\times4}{10\times4}=\frac{\square}{40}\div\frac{12}{40}=\square\div\square=\frac{\square}{\square}=\square$

계산을 하여 기약분수로 나타내세요. (단, 계산 결과가 가분수이면 대분수로 나타냅니다.)

5 $\frac{5}{2} \div \frac{4}{5}$

( )

6 $\frac{5}{3} \div \frac{5}{7}$

( )

7 $\frac{5}{4} \div \frac{3}{8}$

( )

8 $\frac{7}{4} \div \frac{5}{8}$

( )

9 $\frac{6}{5} \div \frac{3}{7}$

( )

10 $\frac{8}{5} \div \frac{4}{9}$

( )

11 $\frac{7}{6} \div \frac{3}{10}$

( )

12 $\frac{11}{6} \div \frac{2}{3}$

( )

13 $\frac{8}{7} \div \frac{4}{5}$

( )

14 $\frac{9}{7} \div \frac{3}{5}$

( )

15 $\frac{9}{8} \div \frac{7}{10}$

( )

16 $\frac{11}{8} \div \frac{4}{5}$

( )

1단계 분수의 나눗셈

4. (가분수)÷(진분수)

예 $\frac{5}{4}\div\frac{5}{6}$의 계산

$$\frac{5}{4}\div\frac{5}{6}=\frac{\cancel{5}^{1}}{\cancel{4}_{2}}\times\frac{\cancel{6}^{3}}{\cancel{5}_{1}}=\frac{3}{2}=1\frac{1}{2}$$

계산 중간에 약분을 하면
더 간단히 나타낼 수 있어!

□ 안에 알맞은 수를 써넣으세요.

1 $\frac{5}{2}\div\frac{3}{4}=\frac{5}{\cancel{2}_{1}}\times\frac{\cancel{4}^{2}}{\boxed{3}}=\frac{\boxed{10}}{\boxed{3}}=\boxed{3\frac{1}{3}}$

2 $\frac{5}{4}\div\frac{2}{3}=\frac{5}{4}\times\frac{\square}{\square}=\frac{\square}{8}=\square$

3 $\frac{7}{6}\div\frac{4}{9}=\frac{7}{\cancel{6}_{2}}\times\frac{\cancel{9}^{3}}{\square}=\frac{\square}{\square}=\square$

4 $\frac{11}{8}\div\frac{3}{10}=\frac{11}{\cancel{8}_{4}}\times\frac{\cancel{10}^{5}}{\square}=\frac{\square}{\square}=\square$

5 $\frac{13}{10}\div\frac{4}{5}=\frac{13}{\cancel{10}_{2}}\times\frac{\cancel{5}^{1}}{\square}=\frac{\square}{\square}=\square$

계산을 하여 기약분수로 나타내세요. (단, 계산 결과가 가분수이면 대분수로 나타냅니다.)

6 $\frac{3}{2} \div \frac{2}{5}$

( )

7 $\frac{4}{3} \div \frac{8}{9}$

( )

8 $\frac{7}{4} \div \frac{3}{8}$

( )

9 $\frac{9}{4} \div \frac{3}{7}$

( )

10 $\frac{7}{5} \div \frac{3}{10}$

( )

11 $\frac{9}{5} \div \frac{5}{6}$

( )

12 $\frac{11}{6} \div \frac{5}{9}$

( )

13 $\frac{13}{6} \div \frac{7}{12}$

( )

14 $\frac{11}{7} \div \frac{11}{15}$

( )

15 $\frac{13}{7} \div \frac{5}{6}$

( )

16 $\frac{11}{8} \div \frac{3}{4}$

( )

17 $\frac{17}{8} \div \frac{11}{12}$

( )

DAY 16

1단계 분수의 나눗셈

4. (가분수)÷(진분수)

계산을 하여 기약분수로 나타내세요. (단, 계산 결과가 가분수이면 대분수로 나타냅니다.)

1 $\frac{9}{4} \div \frac{9}{16}$

2 $\frac{12}{5} \div \frac{6}{25}$

3 $\frac{11}{6} \div \frac{11}{18}$

4 $\frac{15}{7} \div \frac{5}{14}$

5 $\frac{9}{8} \div \frac{9}{16}$

6 $\frac{13}{9} \div \frac{13}{27}$

7 $\frac{7}{2} \div \frac{5}{6}$

8 $\frac{5}{3} \div \frac{7}{12}$

9 $\frac{9}{4} \div \frac{5}{8}$

10 $\frac{11}{4} \div \frac{13}{16}$

11 $\frac{7}{5} \div \frac{14}{15}$

12 $\frac{12}{5} \div \frac{1}{4}$

13 $\frac{7}{6} \div \frac{7}{10}$

14 $\frac{13}{6} \div \frac{5}{8}$

계산을 하여 기약분수로 나타내세요. (단, 계산 결과가 가분수이면 대분수로 나타냅니다.)

15 $\frac{9}{7}$ → $\div\frac{3}{4}$ → □

16 $\frac{11}{7}$ → $\div\frac{1}{6}$ → □

17 $\frac{9}{8}$ → $\div\frac{6}{7}$ → □

18 $\frac{17}{8}$ → $\div\frac{7}{10}$ → □

19 $\frac{13}{9}$ → $\div\frac{11}{12}$ → □

20 $\frac{16}{9}$ → $\div\frac{4}{15}$ → □

21 $\frac{13}{10}$ → $\div\frac{8}{15}$ → □

22 $\frac{21}{10}$ → $\div\frac{7}{15}$ → □

생활 속 연산

아프리카 아이들에게 깨끗한 물 $\frac{15}{2}$ L를 나누어주려고 합니다. 병 한 개에 $\frac{5}{6}$ L씩 담으려면 병은 모두 몇 개가 필요한지 구하세요.

( )

5. (대분수)÷(진분수)

예 $1\frac{1}{2} \div \frac{3}{5}$의 계산

대분수를 가분수로 바꿔!

$$1\frac{1}{2} \div \frac{3}{5} = \frac{3}{2} \div \frac{3}{5} = \frac{3\times5}{2\times5} \div \frac{3\times2}{5\times2} = \frac{15}{10} \div \frac{6}{10}$$

분모를 10으로 통분해.

$$= 15 \div 6 = \frac{15}{6} = \frac{5}{2} = 2\frac{1}{2}$$

분자끼리의 나눗셈을 해.

대분수를 가분수로 바꾸고 통분해서 계산하자!

□ 안에 알맞은 수를 써넣으세요.

1 $1\frac{2}{3} \div \frac{3}{4} = \frac{\boxed{5}}{3} \div \frac{3}{4} = \frac{\boxed{20}}{12} \div \frac{\boxed{9}}{12} = \boxed{20} \div \boxed{9} = \frac{\boxed{20}}{\boxed{9}} = \boxed{2\frac{2}{9}}$

2 $2\frac{1}{4} \div \frac{5}{8} = \frac{\square}{4} \div \frac{5}{8} = \frac{\square}{8} \div \frac{5}{8} = \square \div \square = \frac{\square}{\square} = \square$

3 $3\frac{2}{5} \div \frac{2}{3} = \frac{\square}{5} \div \frac{2}{3} = \frac{\square}{15} \div \frac{\square}{15} = \square \div \square = \frac{\square}{\square} = \square$

4 $4\frac{1}{3} \div \frac{5}{6} = \frac{\square}{3} \div \frac{5}{6} = \frac{\square}{6} \div \frac{5}{6} = \square \div \square = \frac{\square}{\square} = \square$

5 $5\frac{1}{2} \div \frac{2}{3} = \frac{\square}{2} \div \frac{2}{3} = \frac{\square}{6} \div \frac{\square}{6} = \square \div \square = \frac{\square}{\square} = \square$

대분수를 진분수로 나눈 몫을 구하세요. (단, 계산 결과가 가분수이면 대분수로 나타냅니다.)

6

7
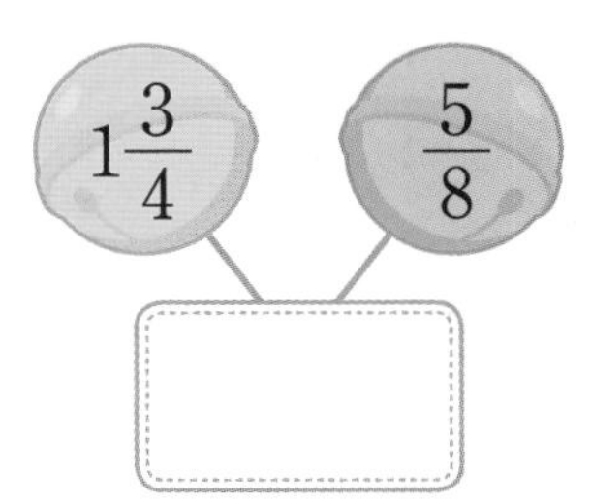

8
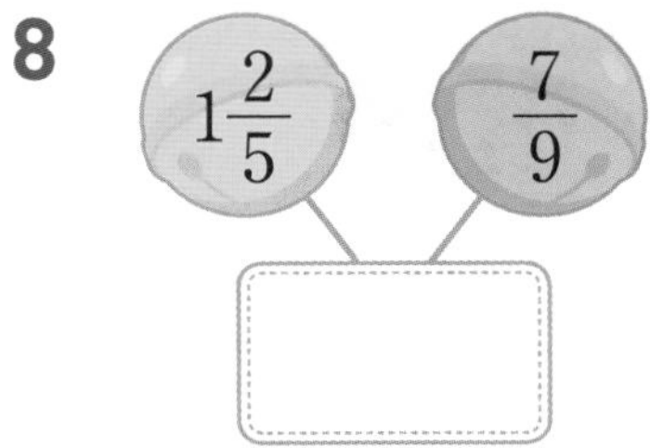

9
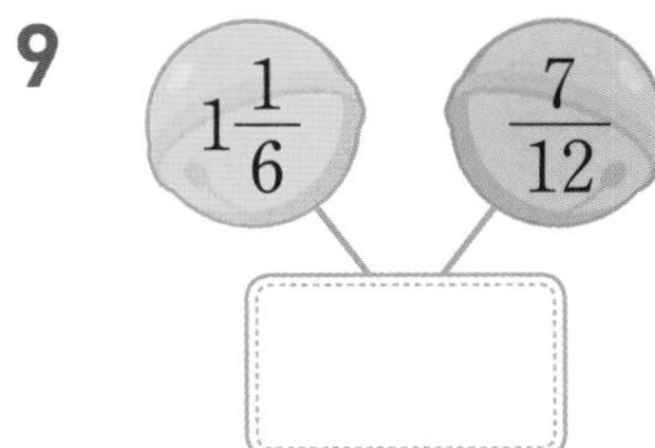

10

11
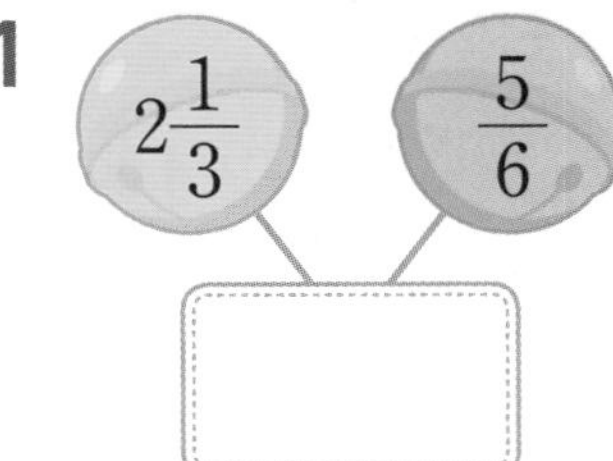

12
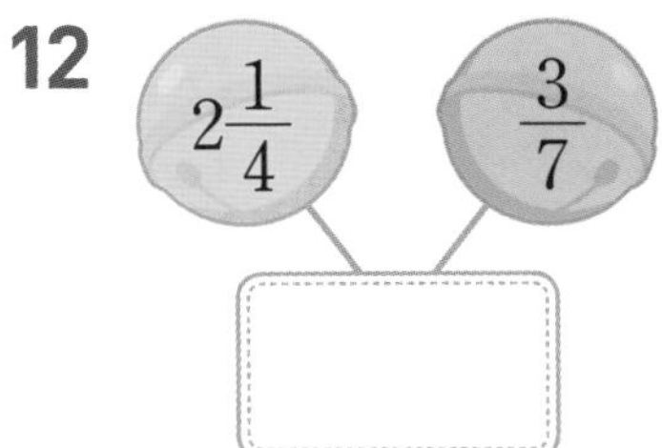

13
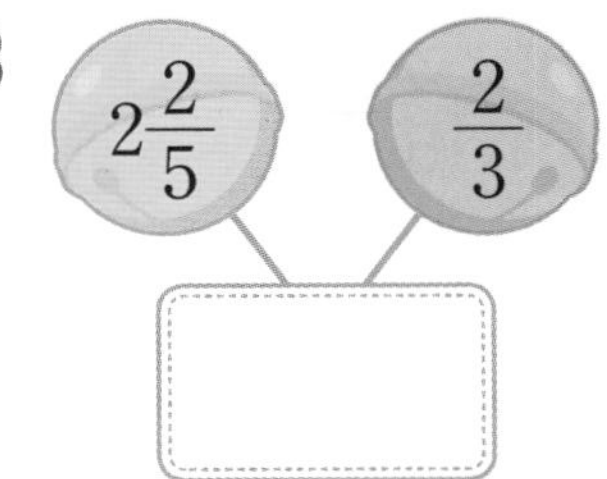

14

15
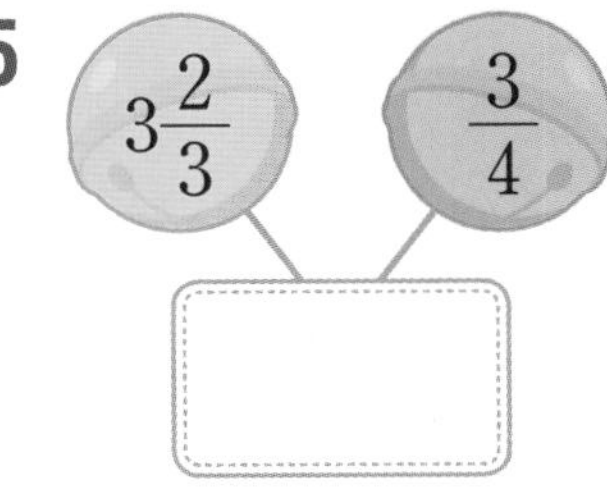

16
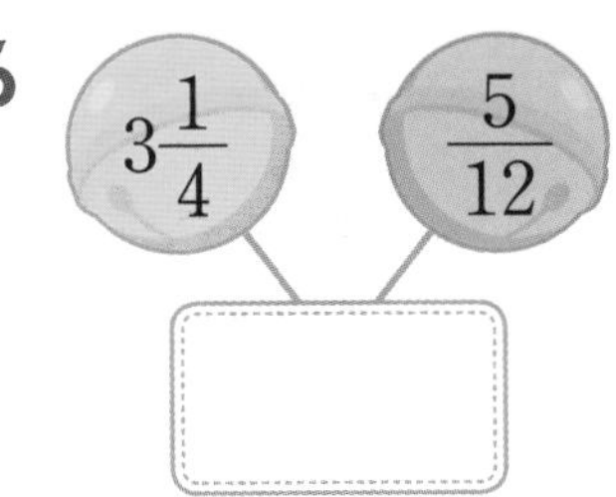

17
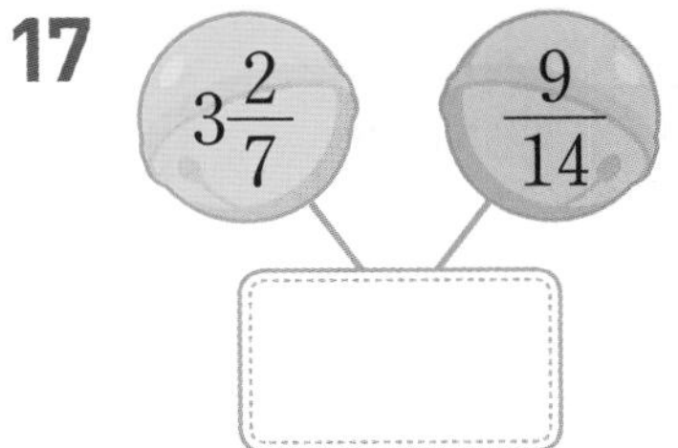

5. (대분수)÷(진분수)

예 $1\frac{1}{2}\div\frac{3}{5}$의 계산

대분수를 가분수로 바꿔!

$$1\frac{1}{2}\div\frac{3}{5}=\frac{3}{2}\div\frac{3}{5}=\frac{\overset{1}{\cancel{3}}}{2}\times\frac{5}{\underset{1}{\cancel{3}}}=\frac{5}{2}=2\frac{1}{2}$$

대분수를 가분수로 바꾼 후
분수의 곱셈으로 바꾸어
계산할 수도 있어.

□ 안에 알맞은 수를 써넣으세요.

1 $1\frac{2}{3}\div\frac{3}{4}=\frac{\boxed{5}}{3}\div\frac{3}{4}=\frac{\boxed{5}}{3}\times\frac{\boxed{4}}{\boxed{3}}=\frac{\boxed{20}}{\boxed{9}}=\boxed{2\frac{2}{9}}$

2 $2\frac{1}{4}\div\frac{3}{5}=\frac{\square}{4}\div\frac{3}{5}=\frac{\overset{3}{\cancel{9}}}{4}\times\frac{\square}{\underset{1}{\cancel{3}}}=\frac{\square}{\square}=\square$

3 $3\frac{2}{5}\div\frac{2}{3}=\frac{\square}{5}\div\frac{2}{3}=\frac{\square}{5}\times\frac{\square}{\square}=\frac{\square}{\square}=\square$

4 $4\frac{1}{3}\div\frac{5}{6}=\frac{\square}{3}\div\frac{5}{6}=\frac{\square}{\underset{1}{\cancel{3}}}\times\frac{\overset{2}{\cancel{6}}}{\square}=\frac{\square}{\square}=\square$

5 $5\frac{1}{2}\div\frac{2}{3}=\frac{\square}{2}\div\frac{2}{3}=\frac{\square}{2}\times\frac{\square}{\square}=\frac{\square}{\square}=\square$

계산을 하여 기약분수로 나타내세요. (단, 계산 결과가 가분수이면 대분수로 나타냅니다.)

6 $1\frac{1}{3}$ → $\div\frac{3}{4}$ → □

7 $1\frac{1}{4}$ → $\div\frac{5}{8}$ → □

8 $1\frac{3}{5}$ → $\div\frac{8}{11}$ → □

9 $1\frac{1}{7}$ → $\div\frac{4}{5}$ → □

10 $2\frac{2}{3}$ → $\div\frac{4}{5}$ → □

11 $2\frac{3}{4}$ → $\div\frac{11}{13}$ → □

12 $2\frac{1}{5}$ → $\div\frac{11}{15}$ → □

13 $2\frac{1}{6}$ → $\div\frac{5}{6}$ → □

14 $3\frac{1}{3}$ → $\div\frac{5}{8}$ → □

15 $3\frac{3}{4}$ → $\div\frac{5}{8}$ → □

16 $3\frac{1}{5}$ → $\div\frac{4}{5}$ → □

17 $3\frac{1}{6}$ → $\div\frac{19}{20}$ → □

1단계 분수의 나눗셈

5. (대분수)÷(진분수)

계산을 하여 기약분수로 나타내세요. (단, 계산 결과가 가분수이면 대분수로 나타냅니다.)

1 $1\frac{1}{6} \div \frac{1}{12}$

2 $2\frac{3}{5} \div \frac{1}{10}$

3 $3\frac{2}{3} \div \frac{1}{4}$

4 $4\frac{1}{2} \div \frac{1}{7}$

5 $1\frac{1}{2} \div \frac{3}{7}$

6 $1\frac{3}{4} \div \frac{7}{8}$

7 $1\frac{5}{6} \div \frac{5}{6}$

8 $1\frac{1}{8} \div \frac{3}{4}$

9 $2\frac{2}{3} \div \frac{4}{7}$

10 $2\frac{2}{5} \div \frac{4}{7}$

11 $2\frac{1}{7} \div \frac{3}{4}$

12 $2\frac{2}{9} \div \frac{5}{9}$

13 $3\frac{1}{2} \div \frac{1}{12}$

14 $3\frac{3}{4} \div \frac{5}{8}$

계산을 하여 기약분수로 나타내세요. (단, 계산 결과가 가분수이면 대분수로 나타냅니다.)

15 $3\frac{1}{6} \div \frac{5}{8}$ = ☐

16 $3\frac{1}{8} \div \frac{7}{16}$ = ☐

17 $3\frac{1}{4} \div \frac{7}{8}$ = ☐

18 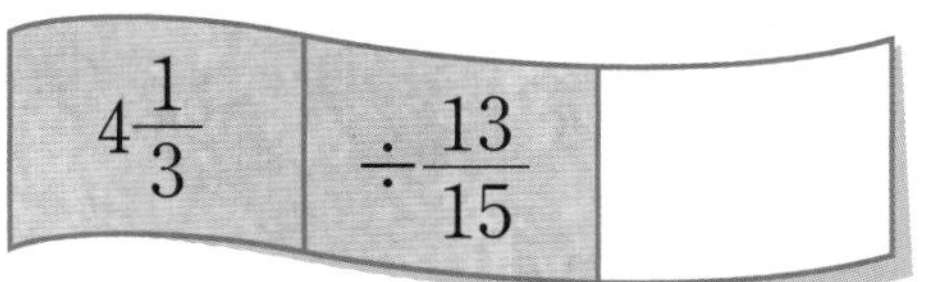

19 $5\frac{1}{4} \div \frac{3}{7}$ = ☐

20 $5\frac{2}{3} \div \frac{5}{6}$ = ☐

21 $6\frac{1}{5} \div \frac{3}{10}$ = ☐

22 $6\frac{3}{4} \div \frac{3}{8}$ = ☐

23 $3\frac{3}{4} \div \frac{3}{10}$ = ☐

24 $3\frac{5}{7} \div \frac{13}{15}$ = ☐

25 $5\frac{1}{4} \div \frac{9}{16}$ = ☐

26 $2\frac{5}{11} \div \frac{6}{7}$ = ☐

DAY 20

6. (대분수)÷(대분수)

예 $1\frac{2}{3} \div 1\frac{1}{2}$의 계산

$$1\frac{2}{3} \div 1\frac{1}{2} = \frac{5}{3} \div \frac{3}{2} = \frac{5}{3} \times \frac{2}{3} = \frac{10}{9} = 1\frac{1}{9}$$

대분수를 가분수로 바꾼 후 분수의 곱셈으로 바꾸어 계산할 수도 있어.

□ 안에 알맞은 수를 써넣으세요.

1 $2\frac{1}{2} \div 1\frac{1}{3} = \frac{\boxed{5}}{2} \div \frac{\boxed{4}}{3} = \frac{\boxed{5}}{2} \times \frac{\boxed{3}}{\boxed{4}} = \frac{\boxed{15}}{\boxed{8}} = \boxed{1\frac{7}{8}}$

2 $3\frac{2}{3} \div 2\frac{1}{4} = \frac{\square}{3} \div \frac{\square}{4} = \frac{\square}{3} \times \frac{\square}{\square} = \frac{\square}{\square} = \square$

3 $4\frac{2}{5} \div 1\frac{2}{5} = \frac{\square}{5} \div \frac{\square}{5} = \frac{\square}{\cancel{5}_1} \times \frac{\cancel{5}^1}{\square} = \frac{\square}{\square} = \square$

4 $6\frac{3}{7} \div 1\frac{5}{14} = \frac{\square}{7} \div \frac{\square}{14} = \frac{\square}{\cancel{7}_1} \times \frac{\cancel{14}^2}{\square} = \frac{\square}{\square} = \square$

5 $5\frac{4}{11} \div 4\frac{7}{22} = \frac{\square}{11} \div \frac{\square}{22} = \frac{\square}{\cancel{11}_1} \times \frac{\cancel{22}^2}{\square} = \frac{\square}{\square} = \square$

계산을 하여 기약분수로 나타내세요. (단, 계산 결과가 가분수이면 대분수로 나타냅니다.)

6 $3\frac{1}{3}\div1\frac{1}{6}$

(　　　　　　　　)

7 $4\frac{1}{2}\div1\frac{3}{4}$

(　　　　　　　　)

8 $8\frac{1}{8}\div3\frac{1}{4}$

(　　　　　　　　)

9 $6\frac{3}{5}\div3\frac{2}{3}$

(　　　　　　　　)

10 $7\frac{1}{7}\div2\frac{5}{14}$

(　　　　　　　　)

11 $5\frac{5}{12}\div3\frac{5}{6}$

(　　　　　　　　)

12 $3\frac{2}{5}\div2\frac{3}{4}$

(　　　　　　　　)

13 $4\frac{5}{6}\div2\frac{1}{8}$

(　　　　　　　　)

14 $9\frac{1}{2}\div5\frac{5}{6}$

(　　　　　　　　)

15 $11\frac{1}{4}\div8\frac{1}{8}$

(　　　　　　　　)

16 $12\frac{3}{5}\div2\frac{1}{10}$

(　　　　　　　　)

17 $5\frac{4}{13}\div2\frac{5}{8}$

(　　　　　　　　)

DAY 21

1단계 분수의 나눗셈

6. (대분수)÷(대분수)

계산을 하여 기약분수로 나타내세요. (단, 계산 결과가 가분수이면 대분수로 나타냅니다.)

1 $3\frac{2}{5} \div 1\frac{1}{2}$

2 $2\frac{1}{3} \div 1\frac{5}{6}$

3 $7\frac{5}{7} \div 3\frac{3}{8}$

4 $5\frac{1}{4} \div 2\frac{3}{8}$

5 $5\frac{5}{11} \div 1\frac{7}{8}$

6 $9\frac{5}{8} \div 7\frac{1}{3}$

7 $13\frac{3}{4} \div 1\frac{5}{6}$

8 $6\frac{2}{5} \div 1\frac{1}{2}$

9 $4\frac{5}{11} \div 1\frac{1}{6}$

10 $12\frac{3}{8} \div 2\frac{7}{24}$

11 $13\frac{1}{5} \div 4\frac{2}{5}$

12 $6\frac{2}{13} \div 1\frac{7}{9}$

13 $15\frac{1}{3} \div 4\frac{2}{5}$

14 $12\frac{6}{11} \div 2\frac{4}{5}$

계산을 하여 기약분수로 나타내세요. (단, 계산 결과가 가분수이면 대분수로 나타냅니다.)

15 $4\frac{2}{3}$ → $\div 3\frac{1}{2}$ → ☐

16 $5\frac{2}{5}$ → $\div 1\frac{3}{10}$ → ☐

17 $8\frac{5}{6}$ → $\div 1\frac{1}{3}$ → ☐

18 $9\frac{3}{8}$ → $\div 2\frac{8}{21}$ → ☐

19 $7\frac{2}{3}$ → $\div 2\frac{3}{10}$ → ☐

20 $6\frac{3}{4}$ → $\div 2\frac{7}{8}$ → ☐

21 $11\frac{4}{7}$ → $\div 3\frac{3}{11}$ → ☐

22 $12\frac{2}{9}$ → $\div 2\frac{3}{11}$ → ☐

23 $10\frac{5}{8}$ → $\div 1\frac{9}{16}$ → ☐

24 $21\frac{3}{5}$ → $\div 4\frac{8}{15}$ → ☐

25 $7\frac{14}{15}$ → $\div 1\frac{5}{12}$ → ☐

26 $22\frac{7}{9}$ → $\div 4\frac{2}{7}$ → ☐

DAY 22

1단계 분수의 나눗셈

6. (대분수)÷(대분수)

계산을 하여 기약분수로 나타내세요. (단, 계산 결과가 가분수이면 대분수로 나타냅니다.)

1 $3\frac{1}{2}\div2\frac{4}{5}$

2 $5\frac{2}{5}\div3\frac{3}{4}$

3 $2\frac{1}{2}\div1\frac{1}{4}$

4 $9\frac{3}{4}\div2\frac{1}{6}$

5 $7\frac{1}{5}\div2\frac{2}{3}$

6 $12\frac{2}{3}\div2\frac{6}{7}$

7 $7\frac{1}{11}\div1\frac{5}{7}$

8 $20\frac{4}{5}\div2\frac{3}{5}$

9 $3\frac{11}{18}\div6\frac{1}{2}$

10 $7\frac{3}{4}\div3\frac{5}{6}$

11 $14\frac{2}{3}\div2\frac{3}{26}$

12 $4\frac{5}{16}\div3\frac{1}{2}$

13 $8\frac{5}{6}\div3\frac{8}{15}$

14 $11\frac{7}{8}\div2\frac{11}{12}$

계산을 하여 기약분수로 나타내세요. (단, 계산 결과가 가분수이면 대분수로 나타냅니다.)

15

$5\frac{1}{2} \div 1\frac{1}{3}$

16

$3\frac{2}{7} \div 5\frac{1}{7}$

17

$11\frac{3}{4} \div 2\frac{1}{8}$

18

$7\frac{7}{8} \div 4\frac{1}{12}$

19

$5\frac{3}{5} \div 5\frac{1}{4}$

20

$8\frac{1}{6} \div 2\frac{4}{5}$

21

$13\frac{1}{3} \div 3\frac{1}{5}$

22

$15\frac{2}{5} \div 12\frac{4}{7}$

생활 속 연산

서연이가 사과를 갈아 사과 주스 $7\frac{1}{2}$ L를 만들었습니다. 한 병에 사과 주스를 $1\frac{1}{4}$ L씩 담을 수 있을 때 사과 주스를 남김 없이 모두 담으려면 병은 적어도 몇 개 필요한지 구하세요.

(　　　　　　　　)

1단계 분수의 나눗셈

마무리 연산

계산을 하여 기약분수로 나타내세요. (단, 계산 결과가 가분수이면 대분수로 나타냅니다.)

1 $\frac{3}{7} \div \frac{1}{7}$

2 $\frac{4}{9} \div \frac{1}{9}$

3 $\frac{9}{11} \div \frac{3}{11}$

4 $\frac{16}{17} \div \frac{4}{17}$

5 $\frac{16}{21} \div \frac{2}{21}$

6 $\frac{21}{25} \div \frac{7}{25}$

7 $\frac{4}{11} \div \frac{9}{11}$

8 $\frac{7}{13} \div \frac{5}{13}$

9 $\frac{14}{15} \div \frac{8}{15}$

10 $\frac{7}{17} \div \frac{12}{17}$

11 $\frac{20}{21} \div \frac{16}{21}$

12 $\frac{8}{23} \div \frac{19}{23}$

13 $\frac{9}{25} \div \frac{21}{25}$

14 $\frac{26}{29} \div \frac{5}{29}$

계산을 하여 기약분수로 나타내세요. (단, 계산 결과가 가분수이면 대분수로 나타냅니다.)

15 $\frac{3}{4} \div \frac{5}{12}$

16 $\frac{4}{7} \div \frac{9}{14}$

17 $\frac{7}{12} \div \frac{7}{24}$

18 $\frac{15}{17} \div \frac{10}{13}$

19 $\frac{16}{21} \div \frac{4}{7}$

20 $\frac{25}{26} \div \frac{5}{13}$

21 $3 \div \frac{1}{4}$

22 $7 \div \frac{3}{4}$

23 $8 \div \frac{4}{9}$

24 $11 \div \frac{5}{7}$

25 $14 \div \frac{7}{10}$

26 $18 \div \frac{10}{11}$

27 $15 \div \frac{5}{9}$

28 $24 \div \frac{12}{17}$

DAY 24

1단계 분수의 나눗셈

마무리 연산

계산을 하여 기약분수로 나타내세요. (단, 계산 결과가 가분수이면 대분수로 나타냅니다.)

1 $\frac{9}{2} \div \frac{3}{8}$

2 $\frac{9}{4} \div \frac{5}{8}$

3 $\frac{13}{6} \div \frac{7}{10}$

4 $\frac{15}{8} \div \frac{11}{12}$

5 $\frac{7}{2} \div \frac{14}{15}$

6 $\frac{8}{3} \div \frac{5}{6}$

7 $\frac{11}{4} \div \frac{5}{12}$

8 $\frac{9}{5} \div \frac{7}{10}$

9 $\frac{13}{6} \div \frac{13}{18}$

10 $\frac{10}{7} \div \frac{11}{14}$

11 $\frac{15}{8} \div \frac{5}{12}$

12 $\frac{14}{9} \div \frac{5}{6}$

13 $\frac{11}{10} \div \frac{7}{15}$

14 $\frac{15}{11} \div \frac{15}{16}$

계산을 하여 기약분수로 나타내세요. (단, 계산 결과가 가분수이면 대분수로 나타냅니다.)

15 $1\frac{3}{7}\div\frac{1}{14}$

16 $2\frac{1}{6}\div\frac{1}{12}$

17 $3\frac{1}{4}\div\frac{1}{6}$

18 $4\frac{2}{3}\div\frac{1}{4}$

19 $1\frac{3}{4}\div\frac{7}{12}$

20 $1\frac{3}{8}\div\frac{3}{10}$

21 $2\frac{3}{5}\div\frac{8}{15}$

22 $3\frac{3}{5}\div1\frac{7}{15}$

23 $5\frac{3}{4}\div3\frac{5}{6}$

24 $7\frac{1}{7}\div1\frac{1}{9}$

25 $4\frac{1}{4}\div1\frac{5}{12}$

26 $8\frac{1}{3}\div2\frac{1}{2}$

27 $5\frac{4}{9}\div2\frac{11}{12}$

28 $6\frac{3}{7}\div3\frac{3}{4}$

2

소수의 나눗셈

학습 결과와 시간을 써 보세요!

학습 내용	학습 회차	맞힌 개수/걸린 시간
1. 자릿수가 같은 (소수)÷(소수)	DAY 01	/
	DAY 02	/
	DAY 03	/
	DAY 04	/
	DAY 05	/
2. 자릿수가 다른 (소수)÷(소수)	DAY 06	/
	DAY 07	/
	DAY 08	/
	DAY 09	/
	DAY 10	/
3. (자연수)÷(소수)	DAY 11	/
	DAY 12	/
	DAY 13	/
	DAY 14	/
	DAY 15	/
4. 몫을 반올림하여 나타내기	DAY 16	/
	DAY 17	/
	DAY 18	/
5. 나누어 주고 남는 양 알아보기	DAY 19	/
	DAY 20	/
	DAY 21	/
6. 나눗셈의 몫과 나머지를 바르게 구했는지 확인하기	DAY 22	/
마무리 연산	DAY 23	/
	DAY 24	/

1. 자릿수가 같은 (소수)÷(소수)

예 $2.4 \div 0.6$의 계산

$$0.6\overline{)2.4}$$

4
0.6)2.4
2 4
0

나누는 수와 나누어지는 수의 소수점을 오른쪽으로 한 자리씩 옮겨 계산해.

소수점을 옮긴 후 자연수의 나눗셈과 같은 방법으로 계산해.

계산을 하세요.

1

4
0.3)1.2
1 2
0

2

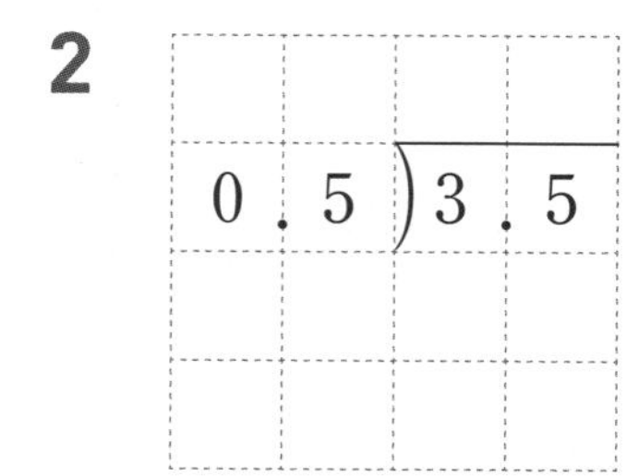

3

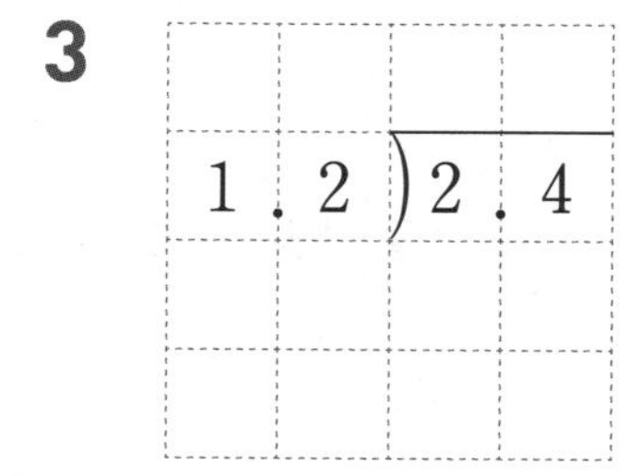

4

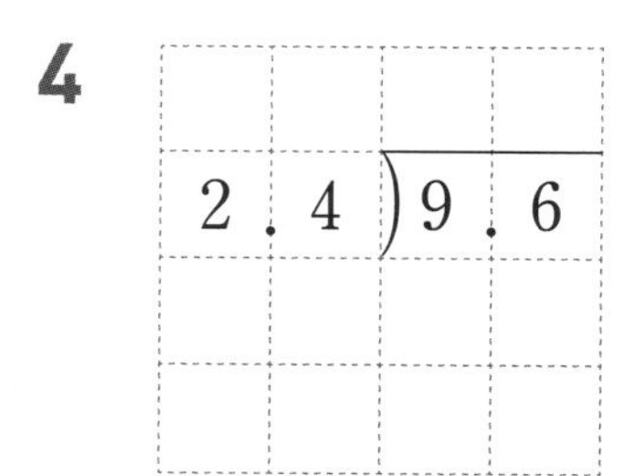

5

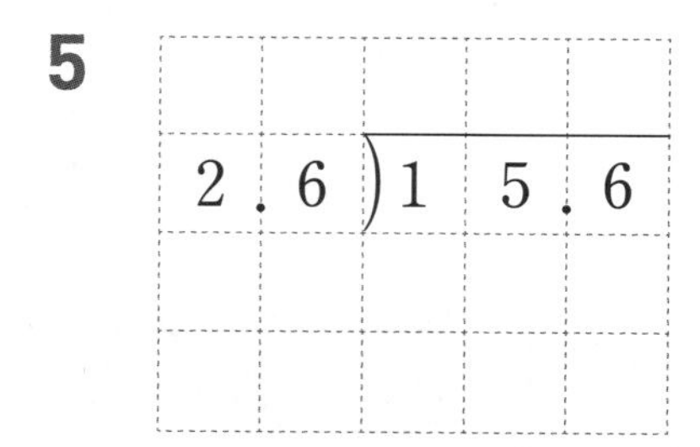

6

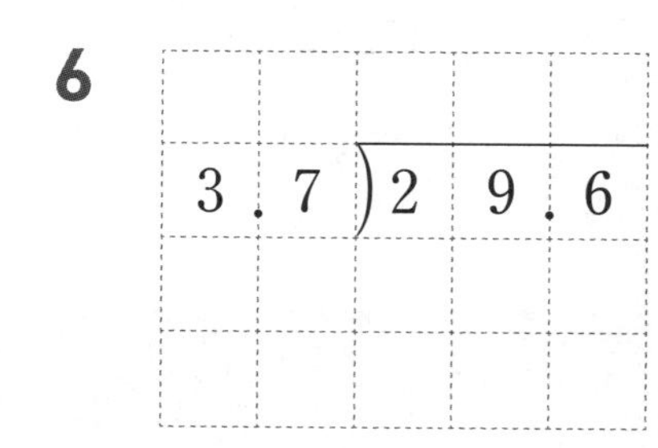

7

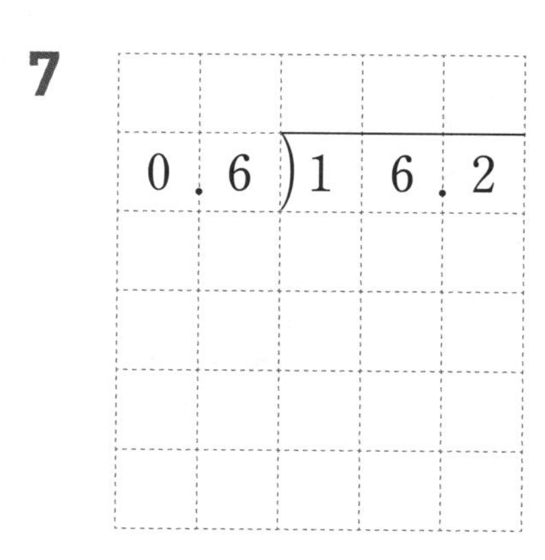

8

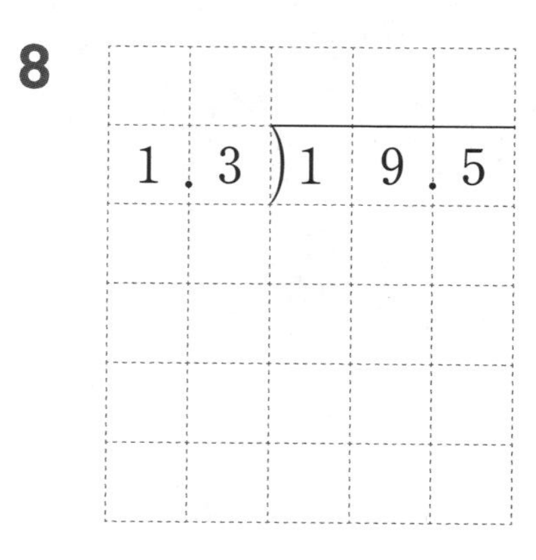

9

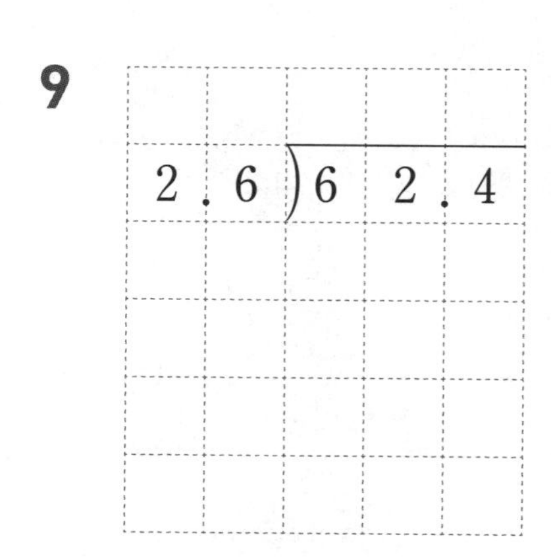

계산을 하세요.

10 $0.4\overline{)1.6}$

11 $0.6\overline{)4.2}$

12 $0.8\overline{)7.2}$

13 $1.4\overline{)8.4}$

14 $2.3\overline{)9.2}$

15 $3.1\overline{)9.3}$

16 $2.8\overline{)22.4}$

17 $4.6\overline{)27.6}$

18 $7.3\overline{)65.7}$

19 $0.3\overline{)13.5}$

20 $0.5\overline{)28.5}$

21 $0.7\overline{)54.6}$

22 $1.4\overline{)78.4}$

23 $3.5\overline{)94.5}$

24 $7.6\overline{)98.8}$

2단계 소수의 나눗셈

1. 자릿수가 같은 (소수)÷(소수)

예 $2.4\div0.6$의 계산

$$2.4\div0.6=\frac{24}{10}\div\frac{6}{10}=24\div6=4$$

□ 안에 알맞은 수를 써넣으세요.

1 $5.4\div0.6=\frac{54}{10}\div\frac{6}{10}=54\div\boxed{6}=\boxed{9}$

2 $5.6\div1.4=\frac{56}{10}\div\frac{14}{10}=56\div\boxed{}=\boxed{}$

3 $10.5\div1.5=\frac{\boxed{}}{10}\div\frac{\boxed{}}{10}=\boxed{}\div\boxed{}=\boxed{}$

4 $33.6\div0.8=\frac{\boxed{}}{10}\div\frac{\boxed{}}{10}=\boxed{}\div\boxed{}=\boxed{}$

5 $25.2\div1.4=\frac{\boxed{}}{10}\div\frac{\boxed{}}{10}=\boxed{}\div\boxed{}=\boxed{}$

계산을 하세요.

6 $4.2 \div 0.7$

( )

7 $6.4 \div 0.8$

( )

8 $7.2 \div 1.8$

( )

9 $7.8 \div 2.6$

( )

10 $9.5 \div 1.9$

( )

11 $9.6 \div 3.2$

( )

12 $14.8 \div 0.4$

( )

13 $47.2 \div 0.8$

( )

14 $16.8 \div 2.8$

( )

15 $27.3 \div 3.9$

( )

16 $86.4 \div 5.4$

( )

17 $75.6 \div 2.7$

( )

DAY 03

2단계 소수의 나눗셈

1. 자릿수가 같은 (소수)÷(소수)

예 $1.36 \div 0.34$의 계산

$$
\begin{array}{r}
4 \\
0.34\overline{)1.36} \\
136 \\
\hline
0
\end{array}
$$

나누는 수와 나누어지는 수의 소수점을 오른쪽으로 두 자리씩 옮겨 계산해.

소수점을 옮긴 후 자연수의 나눗셈과 같은 방법으로 계산해.

계산을 하세요.

1 $0.08\overline{)0.32}$ — 몫 4, 32, 0

2 $0.12\overline{)0.36}$

3 $0.28\overline{)3.64}$

4 $0.42\overline{)6.72}$

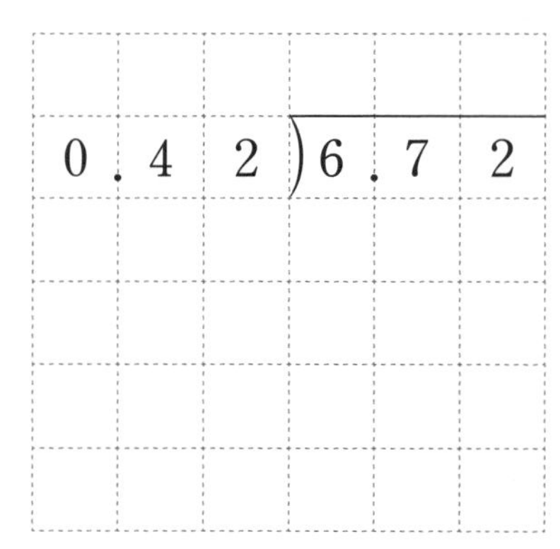

5 $1.58\overline{)42.66}$

6 $1.36\overline{)32.64}$

계산을 하세요.

7 $0.04\overline{)0.28}$

8 $0.12\overline{)0.48}$

9 $0.13\overline{)0.78}$

10 $0.16\overline{)1.12}$

11 $0.34\overline{)2.38}$

12 $0.67\overline{)6.03}$

13 $1.36\overline{)5.44}$

14 $2.57\overline{)7.71}$

15 $3.48\overline{)6.96}$

16 $0.36\overline{)4.32}$

17 $0.58\overline{)8.12}$

18 $0.74\overline{)17.02}$

19 $1.46\overline{)13.14}$

20 $2.58\overline{)67.08}$

21 $3.49\overline{)87.25}$

1. 자릿수가 같은 (소수)÷(소수)

예 1.36÷0.34의 계산

$1.36 \div 0.34 = \frac{136}{100} \div \frac{34}{100} = 136 \div 34 = 4$

□ 안에 알맞은 수를 써넣으세요.

1 $0.78 \div 0.26 = \frac{78}{100} \div \frac{26}{100} = 78 \div \boxed{26} = \boxed{3}$

2 $1.02 \div 0.17 = \frac{102}{100} \div \frac{17}{100} = \boxed{} \div 17 = \boxed{}$

3 $4.55 \div 0.35 = \frac{\boxed{}}{100} \div \frac{35}{100} = \boxed{} \div \boxed{} = \boxed{}$

4 $7.84 \div 1.12 = \frac{784}{100} \div \frac{\boxed{}}{100} = \boxed{} \div \boxed{} = \boxed{}$

5 $13.64 \div 1.24 = \frac{\boxed{}}{100} \div \frac{\boxed{}}{100} = \boxed{} \div \boxed{} = \boxed{}$

공부한 날 월 일

계산을 하세요.

6 $0.35 \div 0.05$

(　　　　　　)

7 $0.36 \div 0.06$

(　　　　　　)

8 $0.85 \div 0.17$

(　　　　　　)

9 $0.92 \div 0.23$

(　　　　　　)

10 $1.62 \div 0.27$

(　　　　　　)

11 $3.36 \div 0.48$

(　　　　　　)

12 $5.25 \div 0.35$

(　　　　　　)

13 $7.05 \div 0.47$

(　　　　　　)

14 $5.56 \div 1.39$

(　　　　　　)

15 $7.38 \div 2.46$

(　　　　　　)

16 $13.04 \div 1.63$

(　　　　　　)

17 $40.64 \div 2.54$

(　　　　　　)

1. 자릿수가 같은 (소수)÷(소수)

계산을 하세요.

1 $3.44 \div 0.43$

2 $0.64 \div 0.04$

3 $2.24 \div 0.32$

4 $1.92 \div 0.48$

5 $1.12 \div 0.14$

6 $3.33 \div 0.37$

7 $3.36 \div 0.42$

8 $6.49 \div 0.59$

9 $2.85 \div 0.19$

10 $8.36 \div 0.38$

11 $5.46 \div 0.26$

12 $9.92 \div 1.24$

13 $8.56 \div 2.14$

14 $7.15 \div 1.43$

빈 곳에 큰 수를 작은 수로 나눈 몫을 써넣고 몫이 가장 큰 수에 ○표 하세요.

15

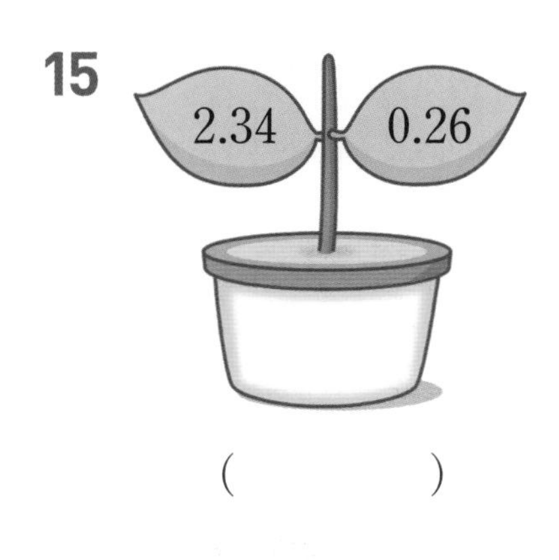

( )

( )

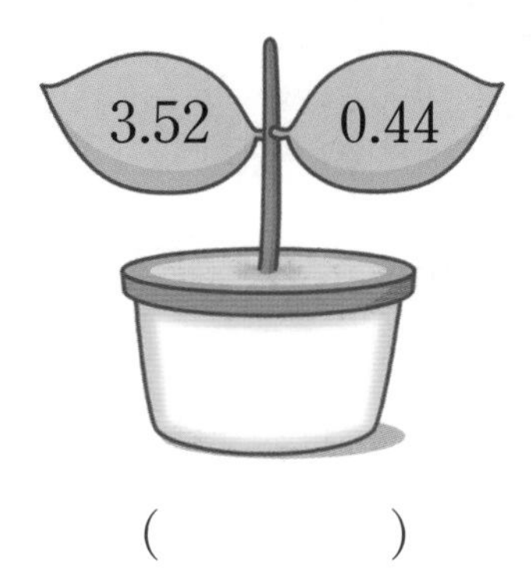

( )

16

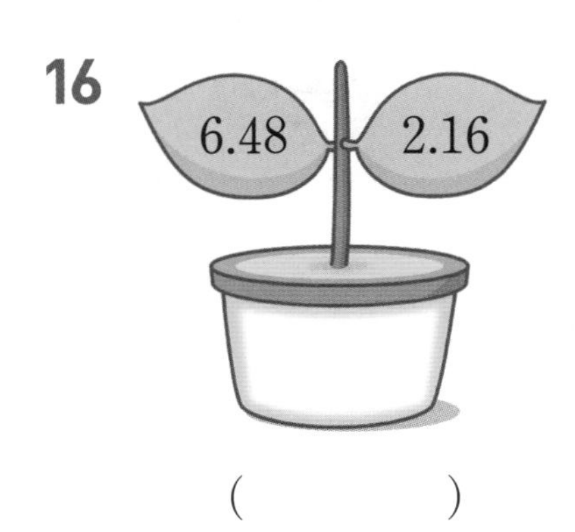

( )

( )

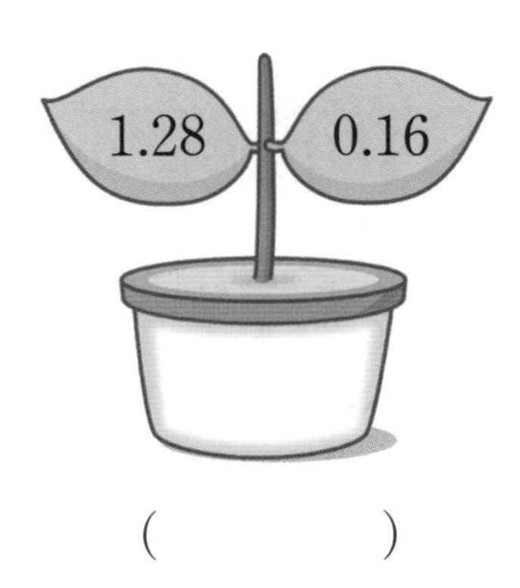

( )

17

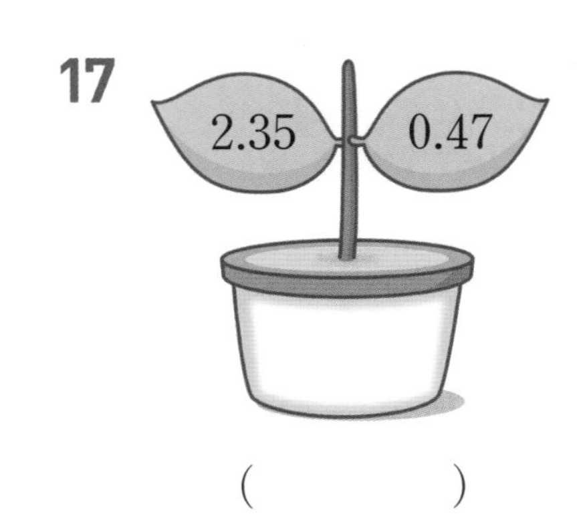

( )

( )

( )

생활 속 연산

콩으로 메주를 쑤어 소금물에 담근 뒤에 그 액을 달여서 만든 장을 간장이라고 합니다. 할머니께서 만든 간장 32.16 L를 5.36 L씩 병에 모두 나누어 담으려면 병은 적어도 몇 개가 필요한지 구하세요.

( )

2. 자릿수가 다른 (소수)÷(소수)

예 4.32÷3.6의 계산

```
          1.2
3.6 0 ) 4.3 2 0
        3 6 0
        -----
          7 2 0
          7 2 0
          -----
              0
```

4.32와 3.6을 각각 100배씩 해서 계산해.

계산을 하세요.

1

```
           1 . 2
0 . 3 0 ) 0 . 3 6 0
            3 0
              6 0
              6 0
                0
```

2

```
0 . 4 ) 0 . 5 2
```

3

```
0 . 2 ) 0 . 2 8
```

4

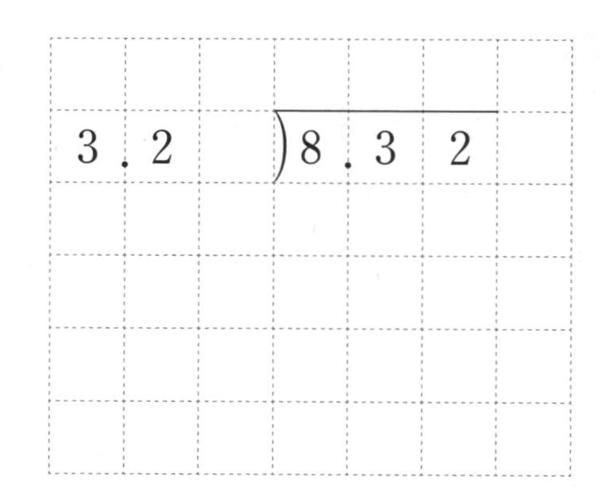

```
3 . 2 ) 8 . 3 2
```

계산을 하세요.

5 $0.7\overline{)0.28}$

6 $0.6\overline{)0.78}$

7 $0.8\overline{)0.72}$

8 $0.5\overline{)1.75}$

9 $0.6\overline{)2.82}$

10 $3.4\overline{)2.72}$

11 $3.2\overline{)4.16}$

12 $3.5\overline{)6.65}$

13 $4.3\overline{)7.74}$

14 $3.6\overline{)24.12}$

15 $5.4\overline{)31.32}$

16 $7.9\overline{)66.36}$

17 $12.6\overline{)54.18}$

18 $22.8\overline{)84.36}$

19 $26.3\overline{)76.27}$

DAY 07

2. 자릿수가 다른 (소수)÷(소수)

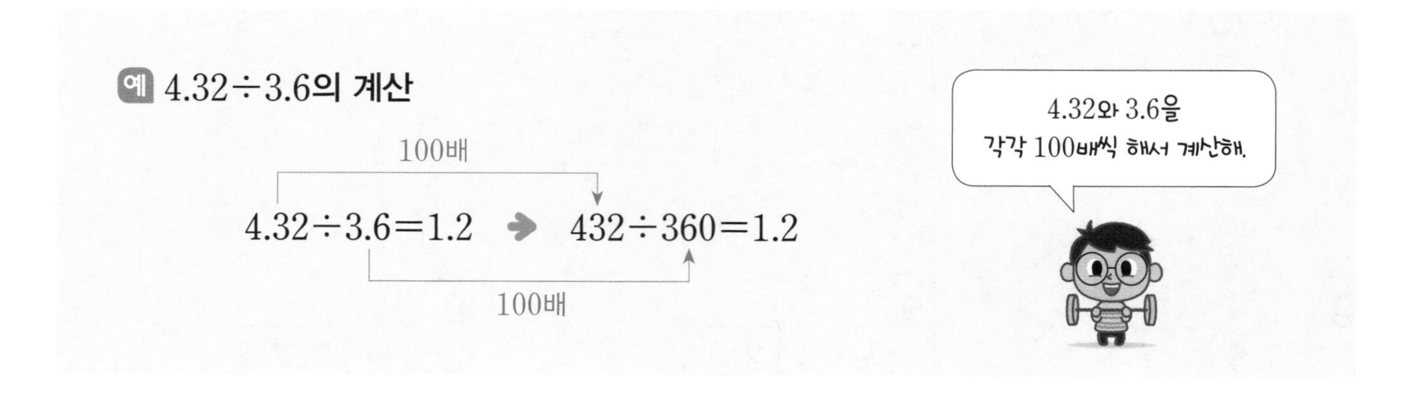

□ 안에 알맞은 수를 써넣으세요.

1

100배

2.22÷0.6=[3.7] ➔ 222÷[60]=[3.7]

100배

2

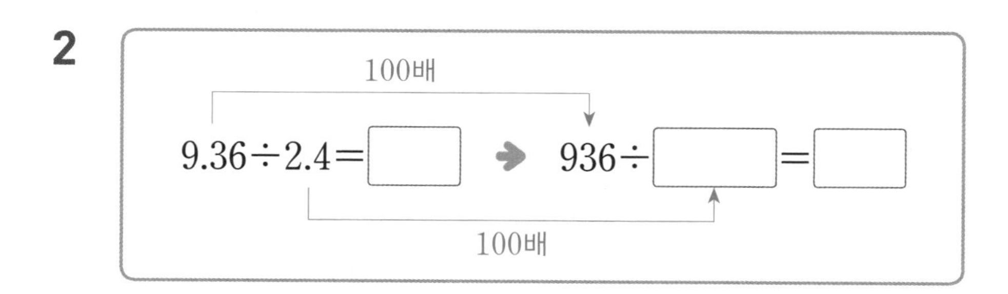

3

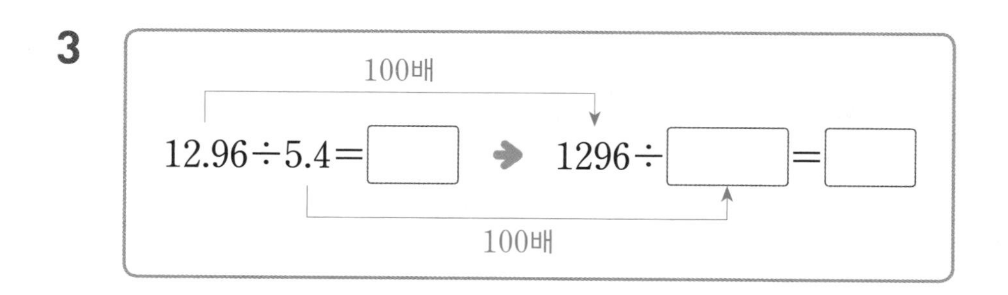

계산을 하세요.

4 $0.44 \div 0.2$

( )

5 $0.48 \div 0.4$

( )

6 $0.75 \div 0.5$

( )

7 $0.98 \div 0.7$

( )

8 $1.44 \div 0.6$

( )

9 $2.88 \div 0.8$

( )

10 $1.44 \div 2.4$

( )

11 $5.44 \div 6.8$

( )

12 $5.55 \div 3.7$

( )

13 $7.28 \div 2.6$

( )

14 $16.45 \div 4.7$

( )

15 $35.88 \div 7.8$

( )

2. 자릿수가 다른 (소수)÷(소수)

예 3.64÷2.6의 계산

$$\begin{array}{r} 1.4 \\ 2.6\overline{)3.64} \\ 260 \\ \hline 104 \\ 104 \\ \hline 0 \end{array}$$

3.64와 2.6을 각각 10배씩 해서 계산해.

몫의 소수점의 위치는 옮겨진 소수점의 위치와 같아.

계산을 하세요.

1) $0.3\overline{)0.63}$ = 2.1 (풀이: 6, 3, 3, 0)

2) $0.6\overline{)0.84}$

3) $0.7\overline{)1.26}$

4) $1.4\overline{)2.66}$

5) $2.6\overline{)9.62}$

6) $3.4\overline{)7.82}$

계산을 하세요.

7 $0.3\overline{)0.27}$

8 $0.2\overline{)0.48}$

9 $0.7\overline{)0.84}$

10 $0.5\overline{)1.85}$

11 $2.6\overline{)2.08}$

12 $0.7\overline{)2.03}$

13 $2.5\overline{)9.25}$

14 $3.6\overline{)8.28}$

15 $4.3\overline{)8.17}$

16 $4.9\overline{)13.72}$

17 $6.5\overline{)24.05}$

18 $7.6\overline{)44.08}$

19 $14.5\overline{)53.65}$

20 $23.7\overline{)66.36}$

21 $34.6\overline{)83.04}$

2. 자릿수가 다른 (소수)÷(소수)

예 3.64÷2.6의 계산

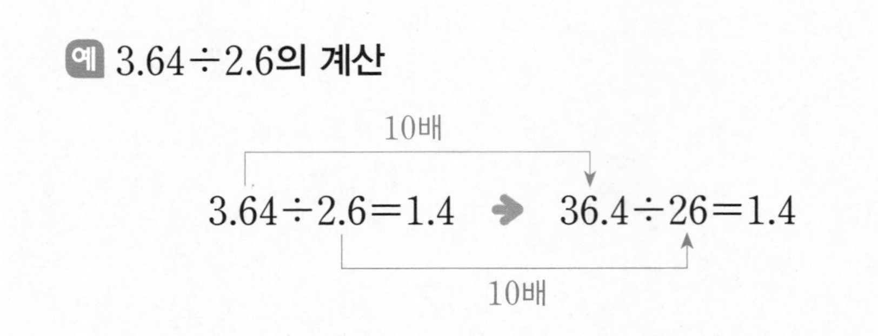

□ 안에 알맞은 수를 써넣으세요.

1

10배

3.42÷0.9=[3.8] ➔ 34.2÷[9]=[3.8]

10배

2

10배

8.74÷3.8=□ ➔ 87.4÷□=□

10배

3

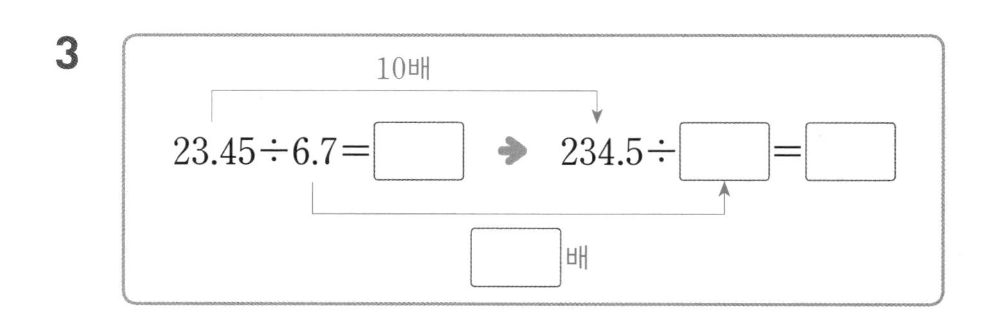

계산을 하세요.

4 $0.69 \div 0.3$

( )

5 $0.66 \div 0.6$

( )

6 $0.65 \div 0.5$

( )

7 $0.96 \div 0.6$

( )

8 $1.36 \div 3.4$

( )

9 $2.68 \div 0.4$

( )

10 $3.38 \div 2.6$

( )

11 $6.66 \div 1.8$

( )

12 $30.24 \div 8.4$

( )

13 $35.88 \div 7.8$

( )

14 $52.06 \div 13.7$

( )

15 $67.23 \div 24.9$

( )

DAY 10

2단계 소수의 나눗셈

2. 자릿수가 다른 (소수)÷(소수)

계산을 하세요.

1 $4.96 \div 0.8$

2 $7.48 \div 3.4$

3 $5.12 \div 1.6$

4 $9.72 \div 2.7$

5 $23.22 \div 5.4$

6 $22.44 \div 8.5$

7 $52.44 \div 9.5$

8 $66.56 \div 6.5$

9 $45.36 \div 12.6$

10 $80.16 \div 33.4$

11 $33.58 \div 14.6$

12 $72.32 \div 11.3$

13 $36.63 \div 18.5$

14 $92.19 \div 3.5$

계산을 하세요.

15

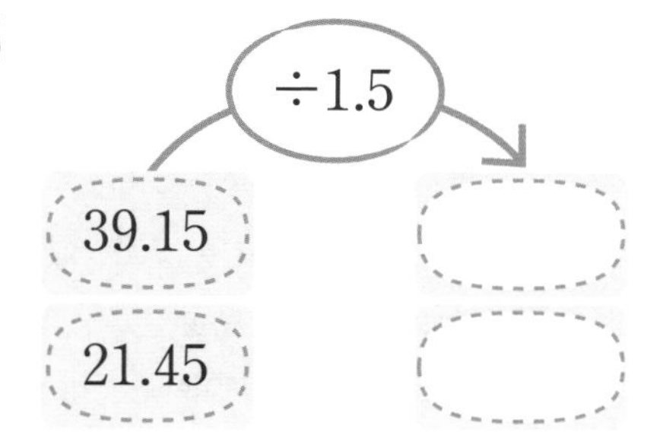

16

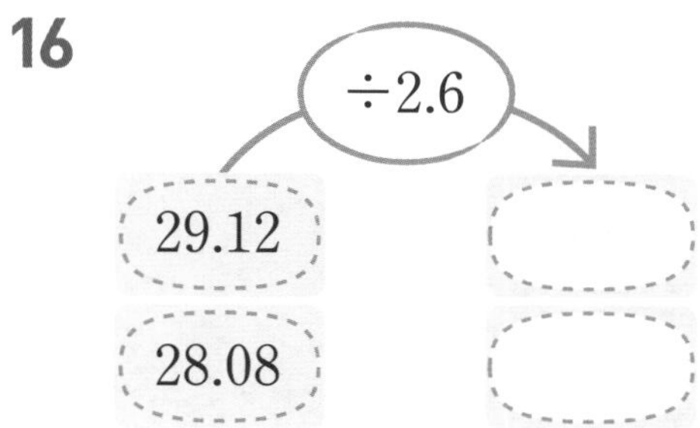

17

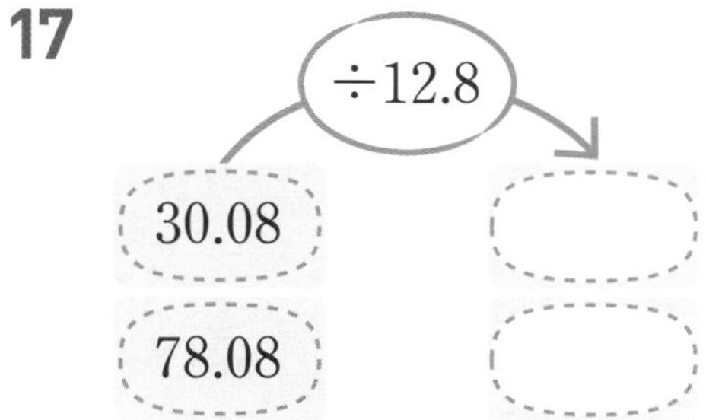

18

19

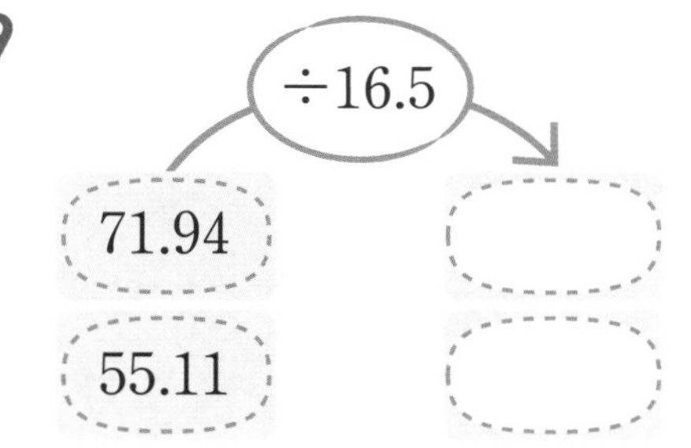

20

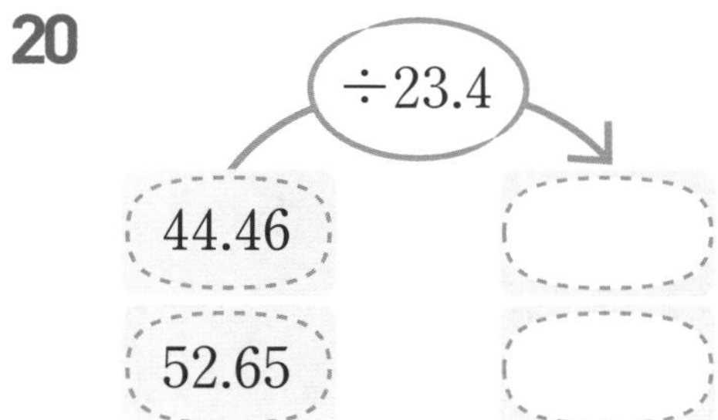

생활 속 연산

서연이와 수연이는 할머니 댁의 밭에 가서 고구마를 캤습니다. 서연이가 캔 고구마의 무게는 20.52 kg, 수연이가 캔 고구마의 무게는 5.7 kg입니다. 서연이가 캔 고구마의 무게는 수연이가 캔 고구마의 무게의 몇 배인지 구하세요.

( )

3. (자연수)÷(소수)

예 $2 \div 0.5$의 계산

$$\begin{array}{r} 4 \\ 0.5\overline{)\,2\,0} \\ 2\,0 \\ \hline 0 \end{array}$$

나누는 수와 나누어지는 수의 소수점을 오른쪽으로 한 자리씩 옮겨 계산해.

소수점을 옮긴 후 자연수의 나눗셈과 같은 방법으로 계산해.

계산을 하세요.

1

$$\begin{array}{r} 6 \\ 0.5\overline{)\,3\,0} \\ 3\,0 \\ \hline 0 \end{array}$$

2 $1.2\overline{)\,6}$

3 $1.5\overline{)\,9}$

4 $1.5\overline{)\,12}$

5 $2.6\overline{)\,13}$

6 $3.8\overline{)\,19}$

7 $1.5\overline{)\,54}$

8 $3.4\overline{)\,51}$

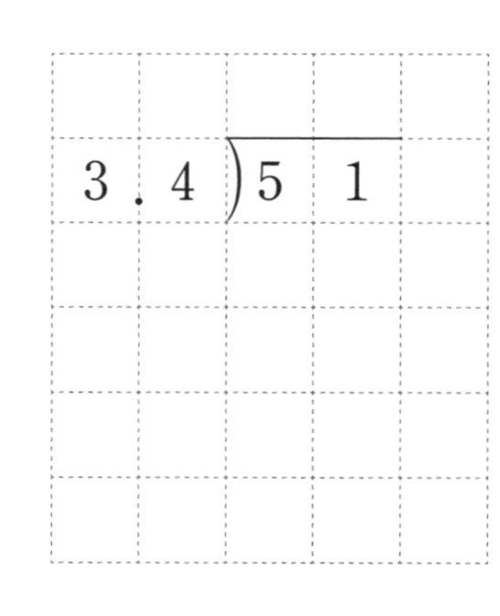

9 $5.6\overline{)\,84}$

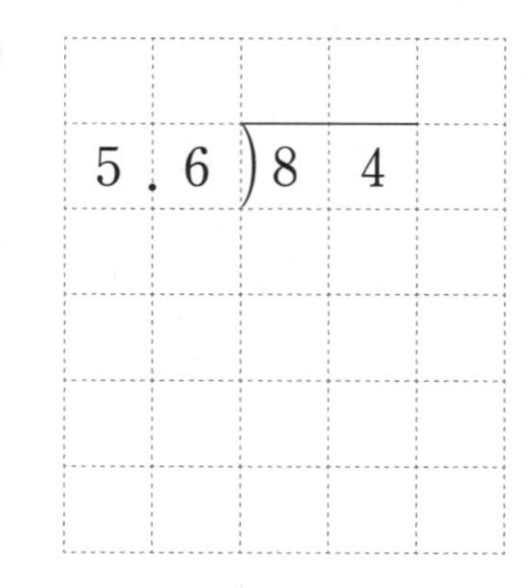

계산을 하세요.

10 $0.2\overline{)1}$

11 $0.5\overline{)4}$

12 $1.4\overline{)7}$

13 $0.3\overline{)3}$

14 $0.5\overline{)7}$

15 $0.6\overline{)9}$

16 $2.5\overline{)15}$

17 $3.4\overline{)17}$

18 $4.5\overline{)36}$

19 $1.6\overline{)40}$

20 $3.6\overline{)54}$

21 $5.8\overline{)87}$

22 $1.8\overline{)117}$

23 $2.5\overline{)135}$

24 $4.5\overline{)189}$

3. (자연수)÷(소수)

예 2÷0.5의 계산

$$2\div0.5=\frac{20}{10}\div\frac{5}{10}=20\div5=4$$

분모가 10인 분수로 고쳐.

□ 안에 알맞은 수를 써넣으세요.

1 $8\div1.6=\frac{\boxed{80}}{10}\div\frac{16}{10}=\boxed{80}\div16=\boxed{5}$

2 $9\div0.5=\frac{\square}{10}\div\frac{5}{10}=\square\div5=\square$

3 $12\div2.4=\frac{\square}{10}\div\frac{\square}{10}=\square\div\square=\square$

4 $22\div4.4=\frac{\square}{10}\div\frac{\square}{10}=\square\div\square=\square$

5 $69\div4.6=\frac{\square}{10}\div\frac{\square}{10}=\square\div\square=\square$

계산을 하세요.

6
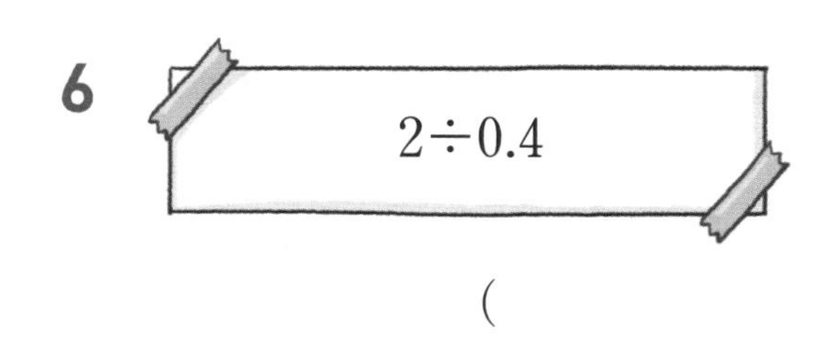

(　　　　)

7
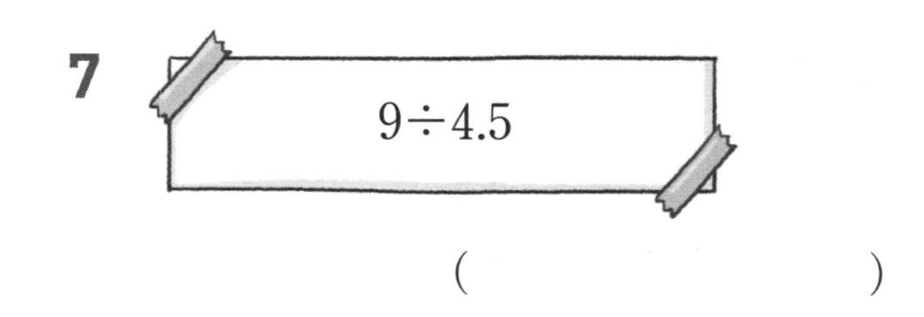

(　　　　)

8
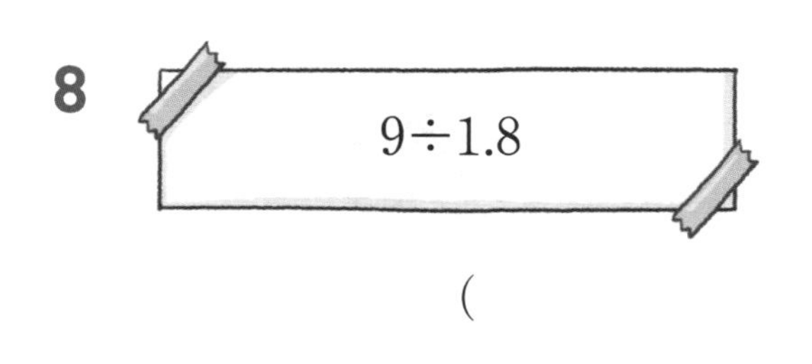

(　　　　)

9
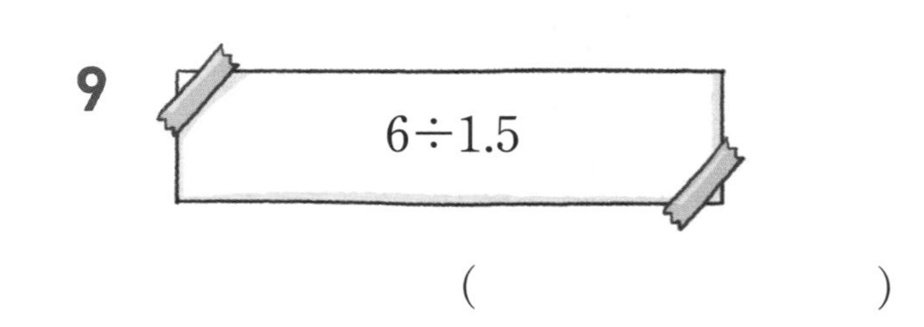

(　　　　)

10
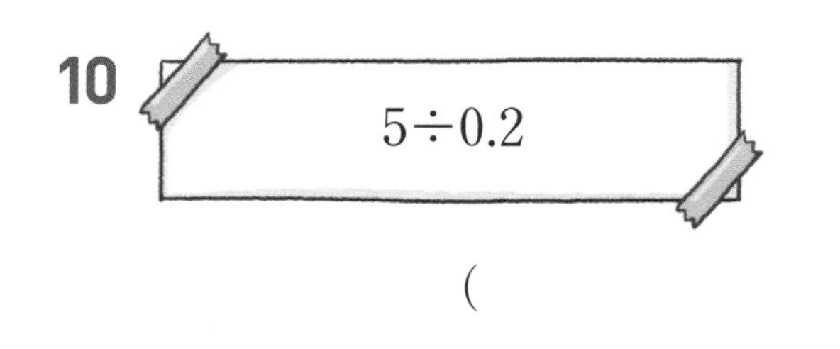

(　　　　)

11
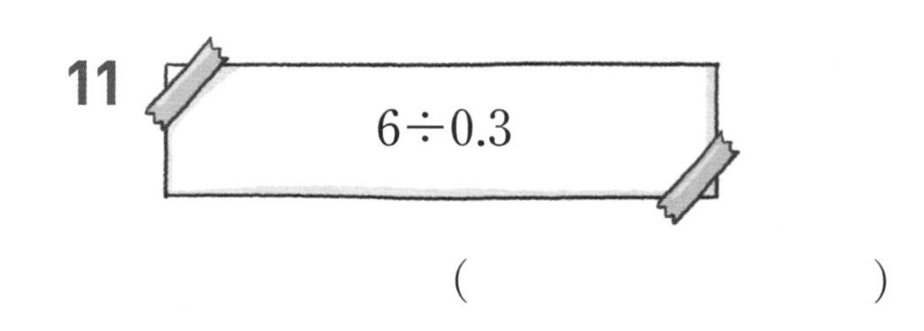

(　　　　)

12
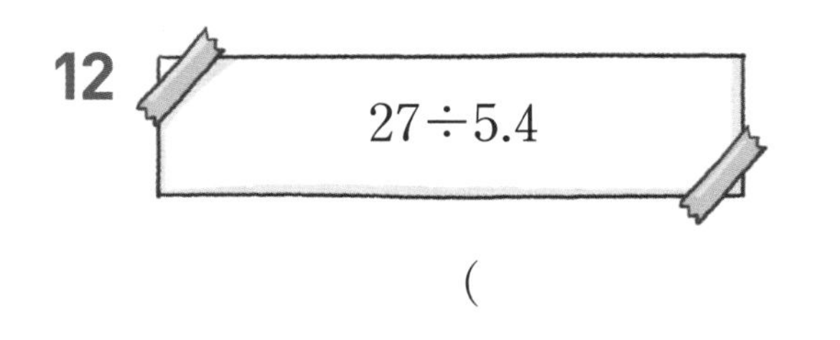

(　　　　)

13
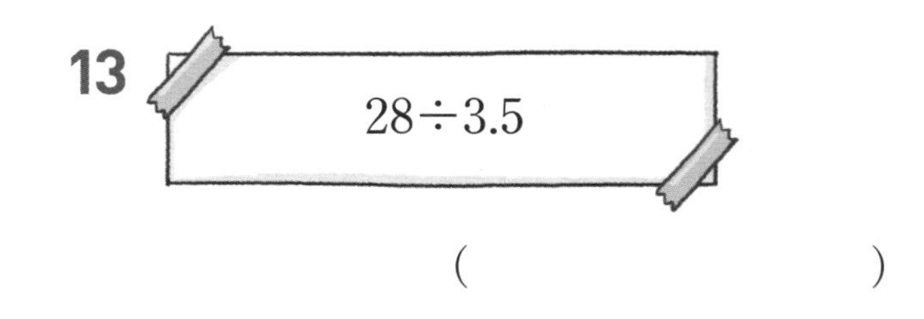

(　　　　)

14
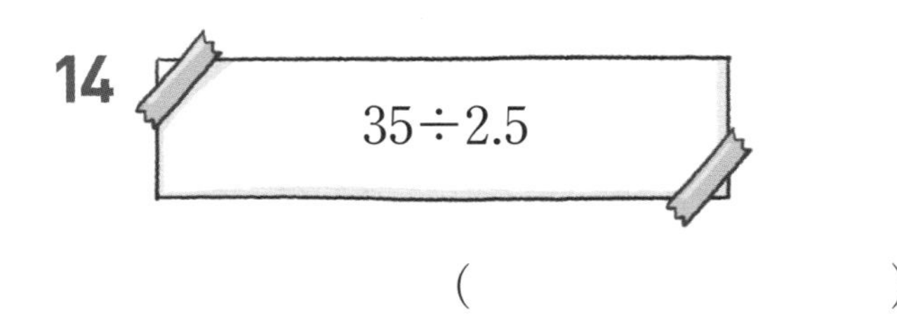

(　　　　)

15
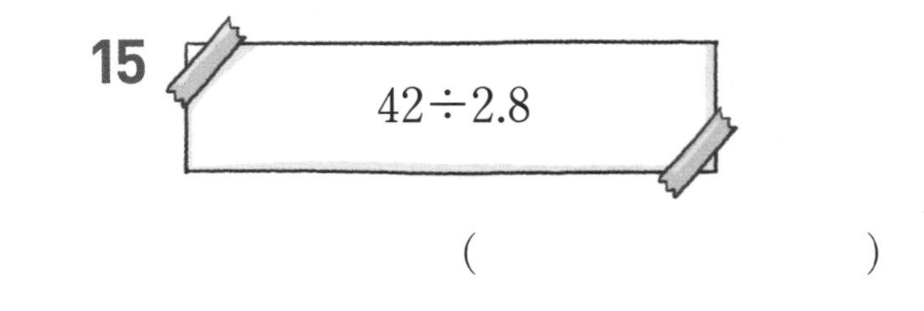

(　　　　)

16
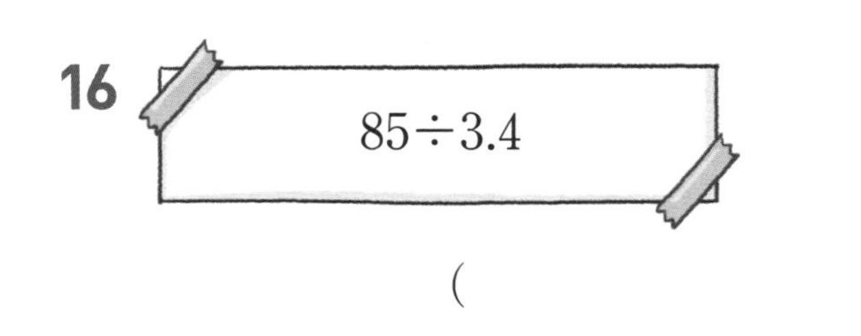

(　　　　)

17
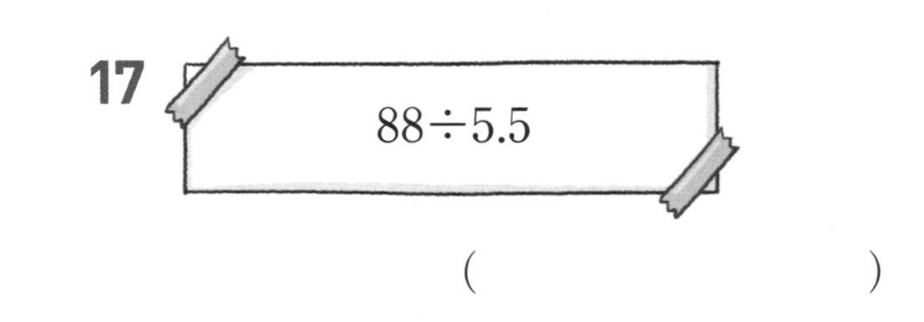

(　　　　)

2단계 소수의 나눗셈

3. (자연수)÷(소수)

예 1÷0.25의 계산

$$\begin{array}{r} 4 \\ 0.25\overline{)1.00} \\ 100 \\ \hline 0 \end{array}$$

나누는 수와 나누어지는 수의 소수점을 오른쪽으로 두 자리씩 옮겨 계산해.

소수점을 옮긴 후 자연수의 나눗셈과 같은 방법으로 계산해.

계산을 하세요.

1

$$\begin{array}{r} 4 \\ 0.75\overline{)3.00} \\ 300 \\ \hline 0 \end{array}$$

2 $4.25\overline{)34}$

3 $2.25\overline{)18}$

4 $5.25\overline{)21}$

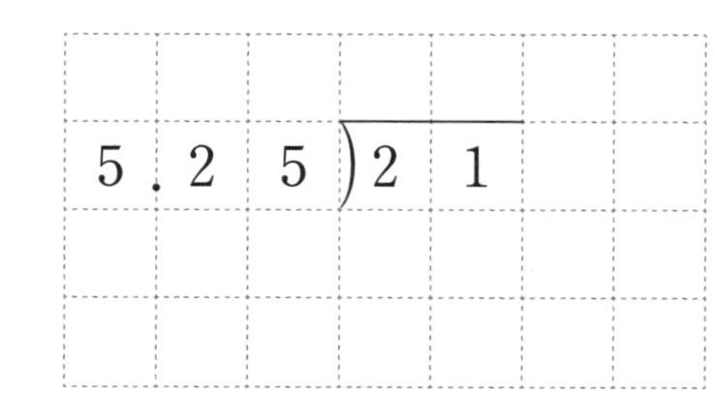

5 $4.75\overline{)114}$

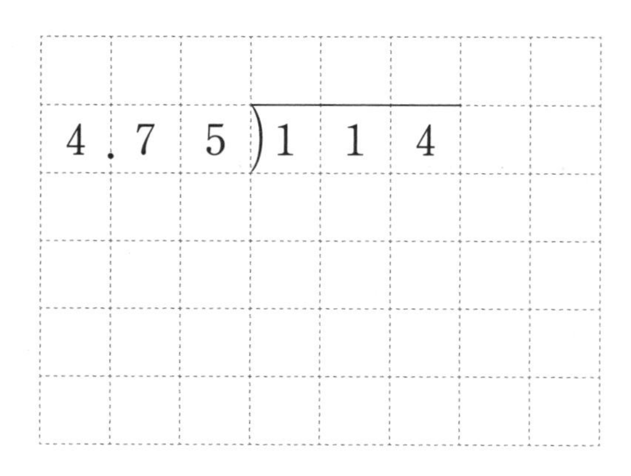

6 $3.25\overline{)117}$

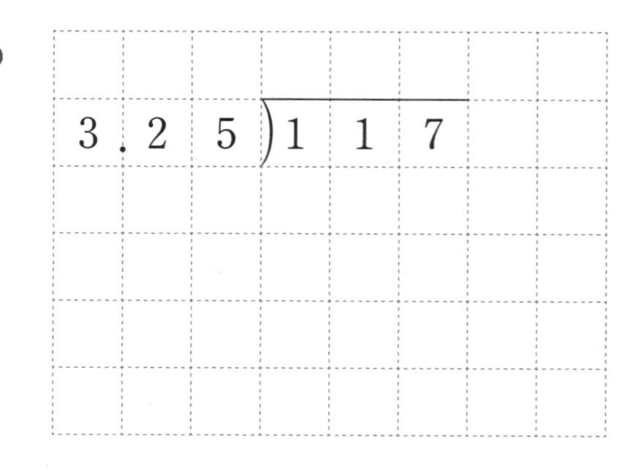

계산을 하세요.

7 $0.25\overline{)5}$

8 $0.32\overline{)8}$

9 $1.25\overline{)5}$

10 $4.25\overline{)34}$

11 $4.25\overline{)17}$

12 $5.25\overline{)63}$

13 $0.72\overline{)18}$

14 $1.25\overline{)55}$

15 $1.16\overline{)87}$

16 $2.25\overline{)72}$

17 $2.75\overline{)66}$

18 $1.86\overline{)93}$

19 $1.75\overline{)126}$

20 $2.45\overline{)147}$

21 $7.25\overline{)116}$

3. (자연수)÷(소수)

예 $1\div0.25$의 계산

$$1\div0.25=\frac{100}{100}\div\frac{25}{100}=100\div25=4$$

분모가 100인 분수로 고쳐.

□ 안에 알맞은 수를 써넣으세요.

1 $6\div0.75=\frac{\boxed{600}}{100}\div\frac{75}{100}=\boxed{600}\div75=\boxed{8}$

2 $5\div0.25=\frac{\boxed{}}{100}\div\frac{25}{100}=\boxed{}\div25=\boxed{}$

3 $13\div3.25=\frac{\boxed{}}{100}\div\frac{\boxed{}}{100}=\boxed{}\div\boxed{}=\boxed{}$

4 $42\div1.75=\frac{\boxed{}}{100}\div\frac{\boxed{}}{100}=\boxed{}\div\boxed{}=\boxed{}$

5 $50\div6.25=\frac{\boxed{}}{100}\div\frac{\boxed{}}{100}=\boxed{}\div\boxed{}=\boxed{}$

계산을 하세요.

6 $2 \div 0.25$

( )

7 $9 \div 0.75$

( )

8 $16 \div 0.32$

( )

9 $15 \div 0.25$

( )

10 $10 \div 1.25$

( )

11 $18 \div 2.25$

( )

12 $64 \div 2.56$

( )

13 $69 \div 0.92$

( )

14 $35 \div 1.25$

( )

15 $27 \div 2.25$

( )

16 $128 \div 2.56$

( )

17 $135 \div 3.75$

( )

3. (자연수)÷(소수)

계산을 하세요.

1 $20 \div 0.25$

2 $19 \div 0.38$

3 $32 \div 1.28$

4 $63 \div 0.21$

5 $70 \div 0.56$

6 $65 \div 0.13$

7 $50 \div 1.25$

8 $82 \div 1.64$

9 $54 \div 0.24$

10 $27 \div 1.35$

11 $74 \div 0.37$

12 $64 \div 1.28$

13 $65 \div 0.26$

14 $31 \div 1.24$

계산을 하세요.

15 $10 \div 1.25$

16 $8 \div 0.25$

17 $6 \div 0.75$

18 $4 \div 0.25$

19 $64 \div 2.56$

20 $69 \div 0.92$

21 $35 \div 1.25$

22 $72 \div 2.25$

23 $128 \div 2.56$

24 $135 \div 3.75$

4. 몫을 반올림하여 나타내기

예 $3 \div 7$의 몫을 반올림하여 나타내기

$$\begin{array}{r} 0.428 \\ 7\overline{)3.000} \\ 28 \\ \hline 20 \\ 14 \\ \hline 60 \\ 56 \\ \hline 4 \end{array}$$

- 몫을 반올림하여 소수 첫째 자리까지 나타내기

  $3 \div 7 = 0.42\cdots\cdots$ ➔ 0.4

  소수 둘째 자리 숫자가 5보다 작으므로 버려서 나타내.

- 몫을 반올림하여 소수 둘째 자리까지 나타내기

  $3 \div 7 = 0.428\cdots\cdots$ ➔ 0.43

  소수 셋째 자리 숫자가 5보다 크므로 올려서 나타내.

나눗셈의 몫을 반올림하여 나타낼 때에는 구하려는 자리보다 한 자리 아래까지 몫을 구한 후 반올림해야 해.

몫을 소수 둘째 자리까지 구하고 반올림하여 소수 첫째 자리까지 나타내세요.

1

5보다 크므로 올려서 나타내.

$$\begin{array}{r} 1.16 \\ 6\overline{)7.00} \\ 6 \\ \hline 10 \\ 6 \\ \hline 40 \\ 36 \\ \hline 4 \end{array}$$

➔ 1.2

2

$$7\overline{)13}$$

➔ ______

3

$$19\overline{)31}$$

➔ ______

몫을 소수 셋째 자리까지 구하고 반올림하여 소수 둘째 자리까지 나타내세요.

4 $3\overline{)5}$

➔ ______

5 $9\overline{)5}$

➔ ______

6 $7\overline{)9}$

➔ ______

7 $7\overline{)19}$

➔ ______

8 $9\overline{)13}$

➔ ______

9 $6\overline{)23}$

➔ ______

10 $13\overline{)14}$

➔ ______

11 $14\overline{)27}$

➔ ______

12 $18\overline{)22}$

➔ ______

DAY 17

2단계 소수의 나눗셈

4. 몫을 반올림하여 나타내기

예 $4.7 \div 3$의 몫을 반올림하여 소수 첫째 자리까지 나타내기

$$\begin{array}{r} 1.56 \\ 3\overline{)4.70} \\ \underline{3} \\ 17 \\ \underline{15} \\ 20 \\ \underline{18} \\ 2 \end{array}$$

- 몫을 반올림하여 소수 첫째 자리까지 나타내기

$4.7 \div 3 = 1.56 \cdots\cdots$ ➔ 1.6

나눗셈의 몫을 반올림하여 소수 첫째 자리까지 나타내려면 소수 둘째 자리까지 몫을 구한 후 반올림해야 해.

몫을 소수 둘째 자리까지 구하고 반올림하여 소수 첫째 자리까지 나타내세요.

1

$$\begin{array}{r} 0.45 \\ 7\overline{)3.20} \\ \underline{2\,8} \\ 40 \\ \underline{35} \\ 5 \end{array}$$

➔ 0.5

2

$$6\overline{)3.47}$$

➔ ______

3

$$12\overline{)3.94}$$

➔ ______

몫을 소수 둘째 자리까지 구하고 반올림하여 소수 첫째 자리까지 나타내세요.

4 $3\overline{)0.7}$

➔ ______

5 $7\overline{)2.7}$

➔ ______

6 $9\overline{)25.1}$

➔ ______

7 $7\overline{)0.73}$

➔ ______

8 $7\overline{)4.39}$

➔ ______

9 $9\overline{)14.56}$

➔ ______

10 $13\overline{)8.6}$

➔ ______

11 $27\overline{)4.81}$

➔ ______

12 $15\overline{)24.19}$

➔ ______

13 $0.9\overline{)0.8}$

➔ ______

14 $0.6\overline{)7.3}$

➔ ______

15 $1.3\overline{)4.9}$

➔ ______

4. 몫을 반올림하여 나타내기

예 $4.7 \div 3$의 몫을 반올림하여 소수 둘째 자리까지 나타내기

$$\begin{array}{r} 1.566 \\ 3\overline{)4.700} \\ \underline{3} \\ 17 \\ \underline{15} \\ 20 \\ \underline{18} \\ 20 \\ \underline{18} \\ 2 \end{array}$$

- 몫을 반올림하여 소수 둘째 자리까지 나타내기
  $4.7 \div 3 = 1.566 \cdots\cdots$ ➔ 1.57

나눗셈의 몫을 반올림하여 소수 둘째 자리까지 나타내려면 소수 셋째 자리까지 몫을 구한 후 반올림해야 해.

몫을 소수 셋째 자리까지 구하고 반올림하여 소수 둘째 자리까지 나타내세요.

1 (5보다 크므로 올려서 나타내.)

$$\begin{array}{r} 0.266 \\ 3\overline{)0.800} \\ \underline{6} \\ 20 \\ \underline{18} \\ 20 \\ \underline{18} \\ 2 \end{array}$$

➔ 0.27

2

$$9\overline{)3.2}$$

➔ ______

3

$$6\overline{)6.53}$$

➔ ______

몫을 소수 셋째 자리까지 구하고 반올림하여 소수 둘째 자리까지 나타내세요.

4 $7\overline{)0.8}$

➔ ______

5 $3\overline{)4.9}$

➔ ______

6 $7\overline{)42.3}$

➔ ______

7 $3\overline{)0.68}$

➔ ______

8 $6\overline{)6.47}$

➔ ______

9 $7\overline{)23.69}$

➔ ______

10 $12\overline{)4.3}$

➔ ______

11 $13\overline{)5.94}$

➔ ______

12 $43\overline{)52.37}$

➔ ______

생활 속 연산

승희와 지연이는 화분에 봉선화를 키우고 있습니다. 승희의 봉선화의 키는 43.6 cm이고, 지연이의 봉선화의 키는 14.7 cm입니다. 승희의 봉선화의 키는 지연이의 봉선화의 키의 몇 배인지 몫을 소수 셋째 자리까지 구한 후 반올림하여 소수 둘째 자리까지 나타내세요.

(   )

5. 나누어 주고 남는 양 알아보기

예 16.3÷5의 계산

$$\begin{array}{r} 3 \\ 5\overline{)16.3} \\ 15 \\ \hline 1.3 \end{array}$$

나눗셈의 몫을 자연수 부분까지 구하고 나누어지는 수의 소수점의 위치에 맞게 남는 수에 소수점을 찍어.

몫 나머지

➔ 16.3÷5=3 ··· 1.3

남는 수의 소수점의 위치는 나누어지는 수의 소수점의 위치와 같아.

몫을 자연수 부분까지 구하고 나머지를 알아보세요.

1

$$\begin{array}{r} 2 \\ 2\overline{)4.3} \\ 4 \\ \hline 0.3 \end{array}$$

몫 (2)
나머지 (0.3)

2

$$4\overline{)9.6}$$

몫 ( )
나머지 ( )

3

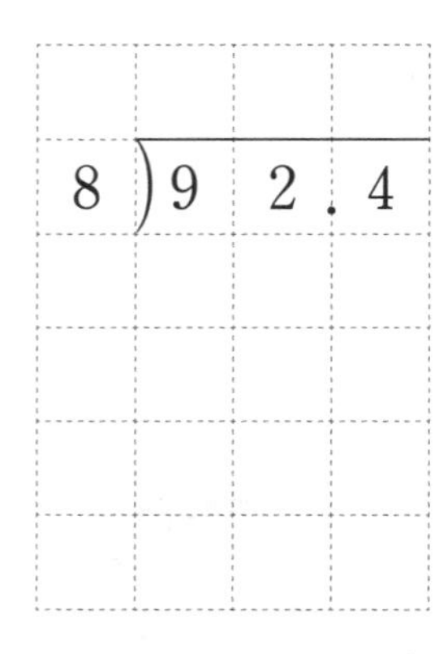

$$8\overline{)92.4}$$

몫 ( )
나머지 ( )

4

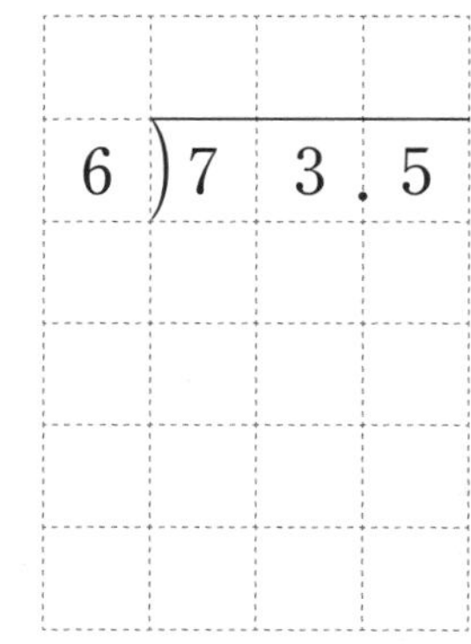

$$6\overline{)73.5}$$

몫 ( )
나머지 ( )

몫을 자연수 부분까지 구하고 나머지를 알아보세요.

5

$5.3 \div 2$

몫 (　　　　　　　)
나머지 (　　　　　　　)

6

$8.5 \div 3$

몫 (　　　　　　　)
나머지 (　　　　　　　)

7

$12.3 \div 4$

몫 (　　　　　　　)
나머지 (　　　　　　　)

8

$16.4 \div 5$

몫 (　　　　　　　)
나머지 (　　　　　　　)

9

$25.9 \div 6$

몫 (　　　　　　　)
나머지 (　　　　　　　)

10

$27.8 \div 7$

몫 (　　　　　　　)
나머지 (　　　　　　　)

11

$34.7 \div 8$

몫 (　　　　　　　)
나머지 (　　　　　　　)

12

$49.5 \div 9$

몫 (　　　　　　　)
나머지 (　　　　　　　)

13

$64.9 \div 13$

몫 (　　　　　　　)
나머지 (　　　　　　　)

14

$76.8 \div 15$

몫 (　　　　　　　)
나머지 (　　　　　　　)

DAY 20

② 2단계 소수의 나눗셈

5. 나누어 주고 남는 양 알아보기

예 $1.4 \div 0.3$의 계산

$$\begin{array}{r} 4 \\ 0.3\overline{)\,1.4} \\ 1\,2 \\ \hline 0.2 \end{array}$$

나눗셈의 몫을 자연수 부분까지 구하고 나누어지는 수의 소수점의 위치에 맞게 남는 수에 소수점을 찍어.

몫 나머지

➔ $1.4 \div 0.3 = 4 \cdots 0.2$

나머지의 소수점의 위치는 나누어지는 수의 처음 소수점의 위치와 같아.

몫을 자연수 부분까지 구하고 나머지를 알아보세요.

1

$$\begin{array}{r} 9 \\ 0.8\overline{)\,7.8} \\ 7\,2 \\ \hline 0.6 \end{array}$$

몫 (9)

나머지 (0.6)

2

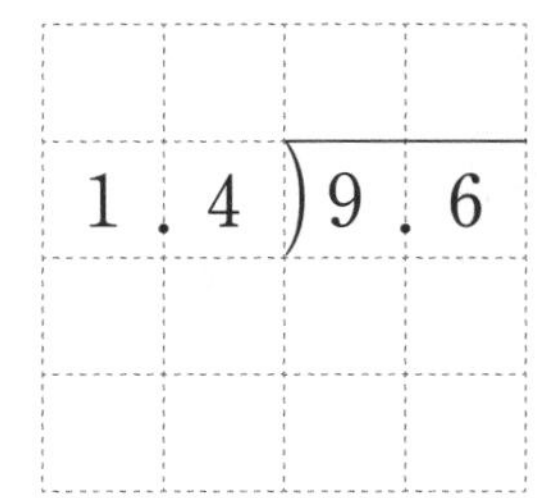

$1.4\overline{)\,9.6}$

몫 ( )

나머지 ( )

3

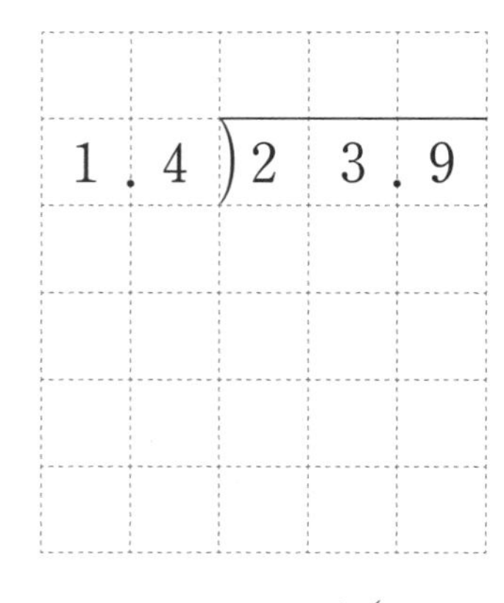

$1.4\overline{)\,23.9}$

몫 ( )

나머지 ( )

4

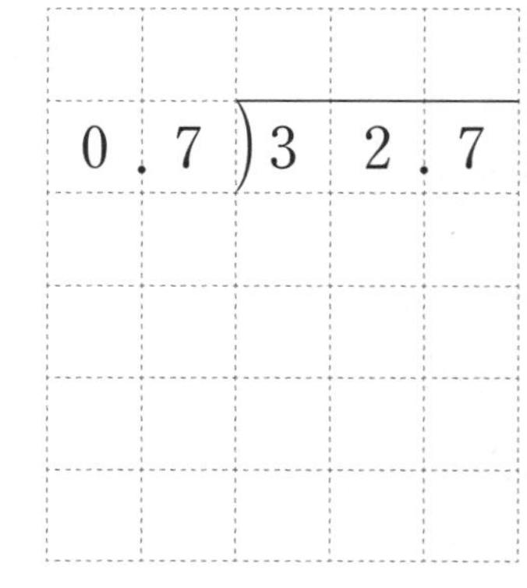

$0.7\overline{)\,32.7}$

몫 ( )

나머지 ( )

몫을 자연수 부분까지 구하여 ▭ 안에 쓰고 나머지를 ○ 안에 써넣으세요.

5

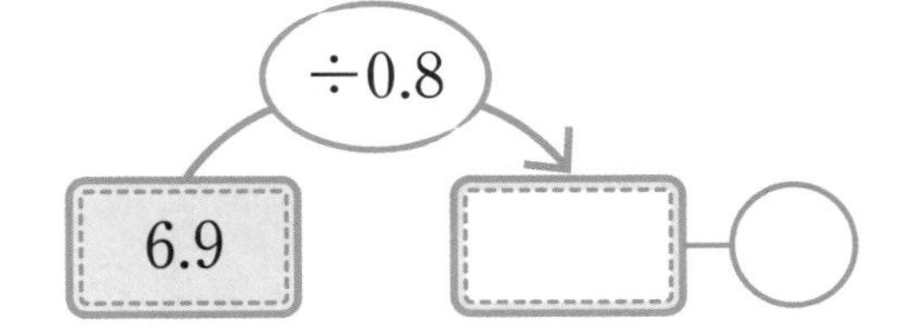

6

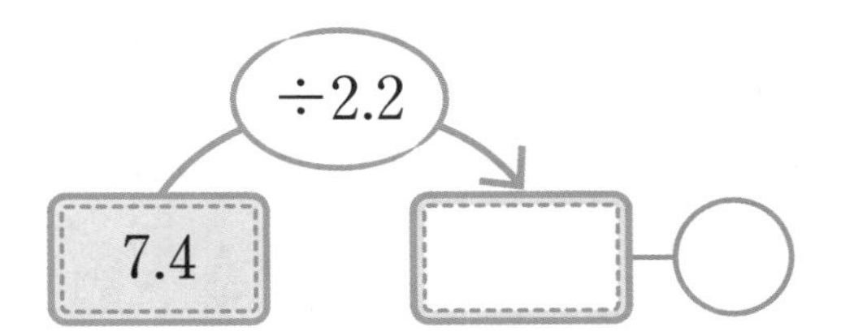

7

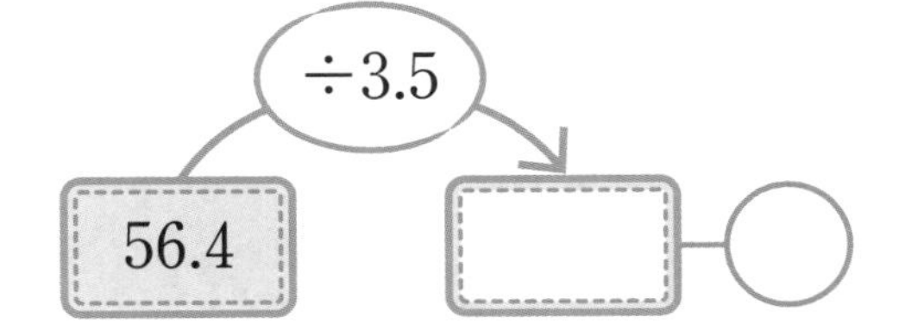

8

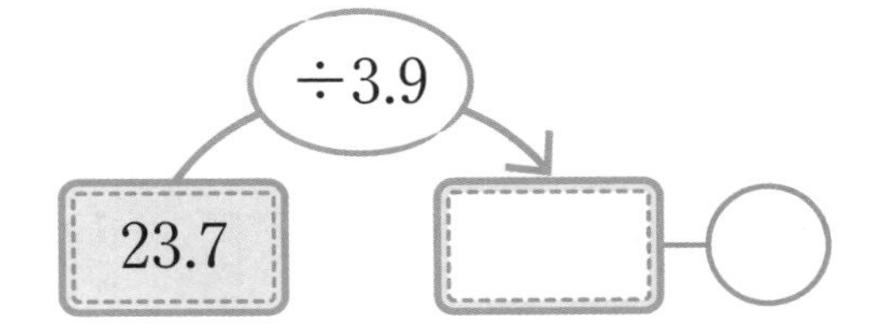

9

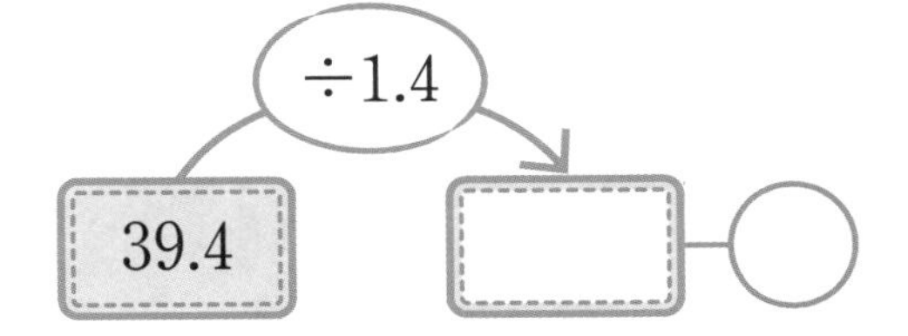

10

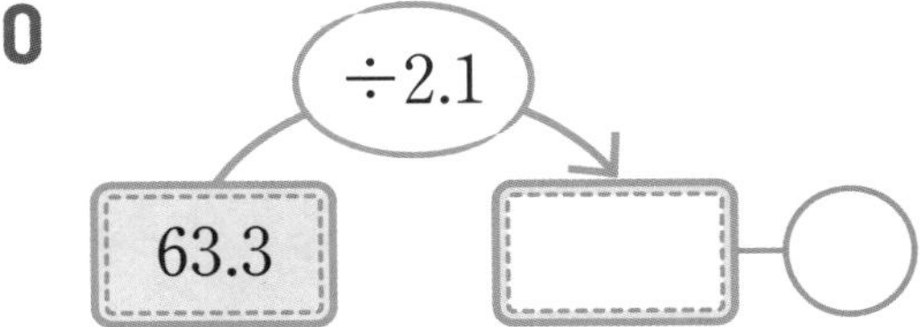

11

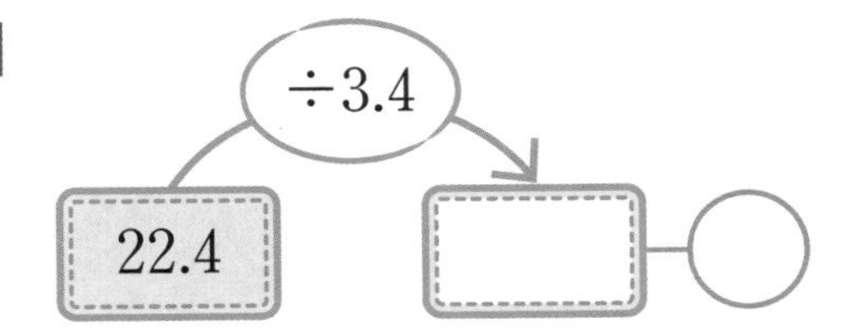

12

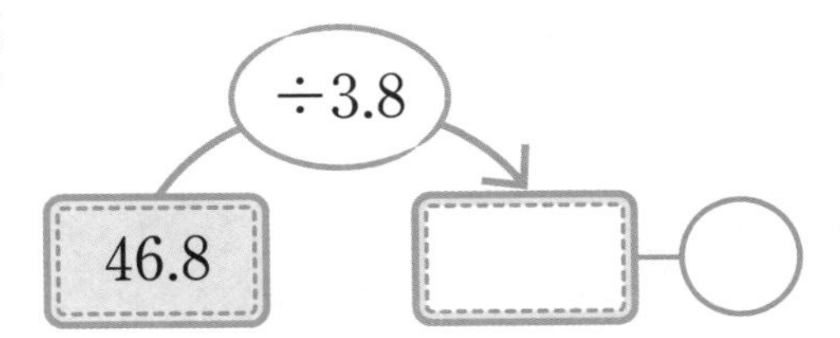

13

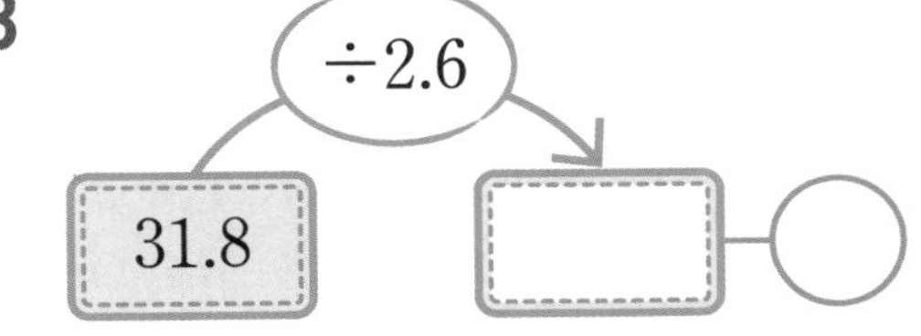

14

÷6.3

73.1

DAY 21

2단계 소수의 나눗셈

5. 나누어 주고 남는 양 알아보기

몫을 자연수 부분까지 구하고 나머지를 알아보세요.

1

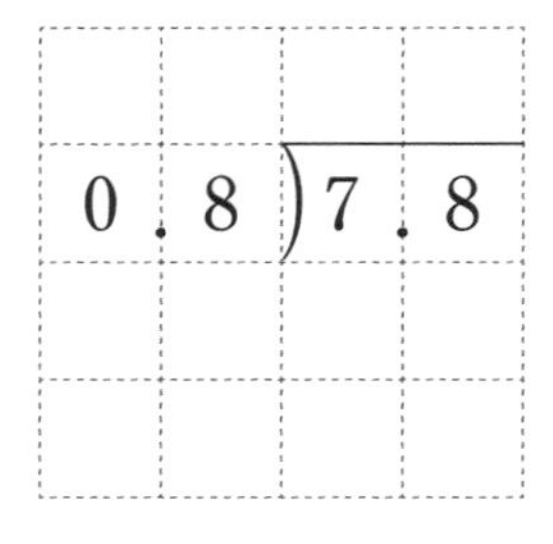

$0.8\overline{)7.8}$

몫 (　　　　　　　　)
나머지 (　　　　　　　　)

2

$1.4\overline{)5.7}$

몫 (　　　　　　　　)
나머지 (　　　　　　　　)

3

$0.3\overline{)23.9}$

몫 (　　　　　　　　)
나머지 (　　　　　　　　)

4

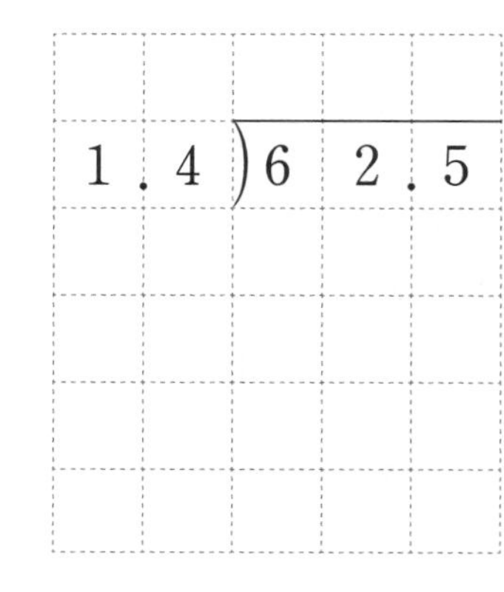

$1.4\overline{)62.5}$

몫 (　　　　　　　　)
나머지 (　　　　　　　　)

5

$1.8\overline{)42.5}$

몫 (　　　　　　　　)
나머지 (　　　　　　　　)

6

$2.6\overline{)89.6}$

몫 (　　　　　　　　)
나머지 (　　　　　　　　)

은우네 채소 가게에서 채소를 상자에 나누어 담으려고 합니다. 각 채소를 몇 상자까지 담을 수 있고 몇 kg이 남는지 구하세요.

7

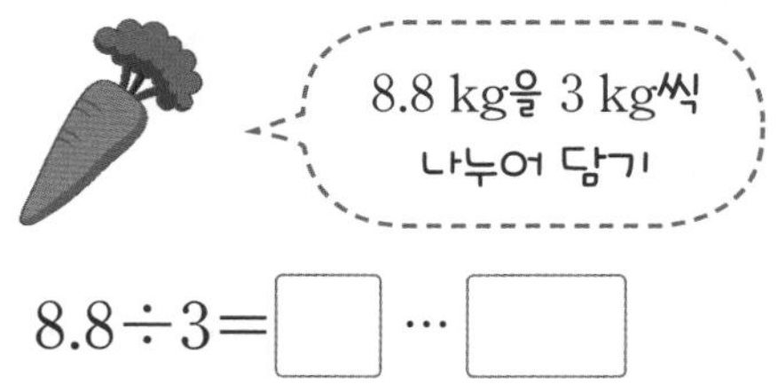

$8.8 \div 3 = \square \cdots \square$

➔ ☐ 상자까지 담고 ☐ kg이 남음

8

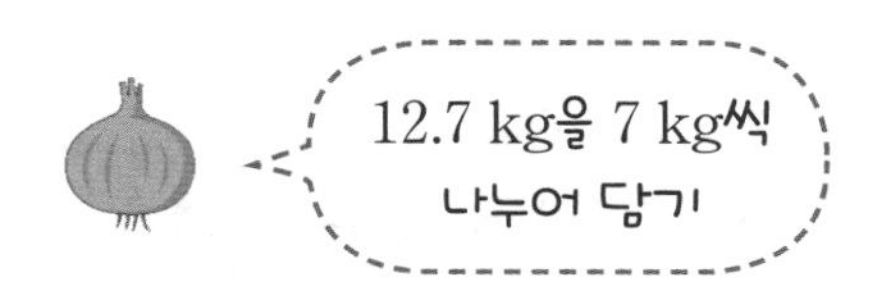

$12.7 \div 7 = \square \cdots \square$

➔ ☐ 상자까지 담고 ☐ kg이 남음

9

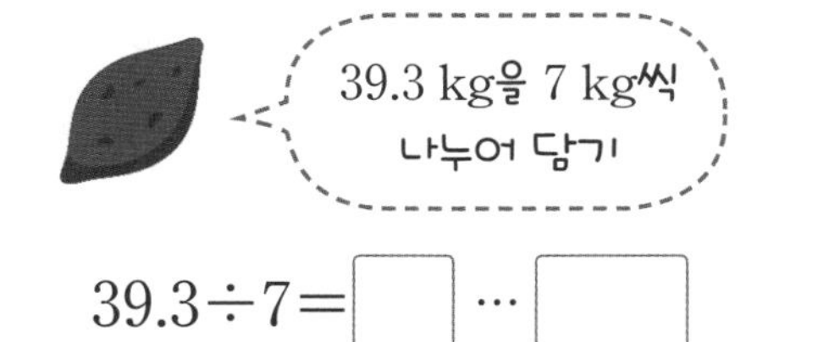

$39.3 \div 7 = \square \cdots \square$

➔ ☐ 상자까지 담고 ☐ kg이 남음

10

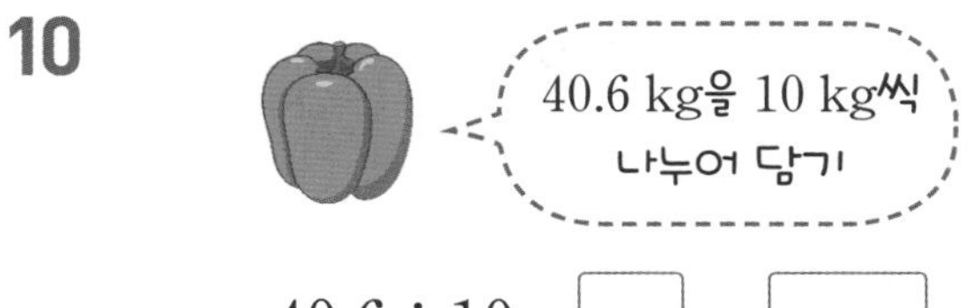

$40.6 \div 10 = \square \cdots \square$

➔ ☐ 상자까지 담고 ☐ kg이 남음

11

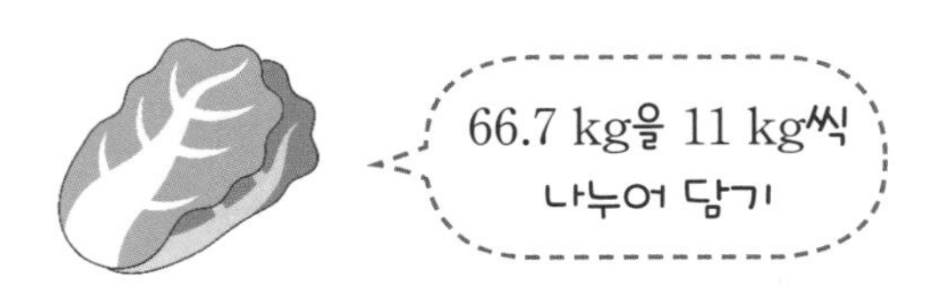

$66.7 \div 11 = \square \cdots \square$

➔ ☐ 상자까지 담고 ☐ kg이 남음

12

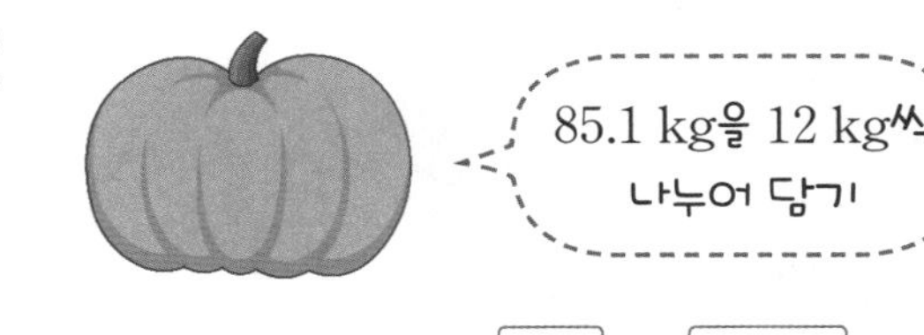

$85.1 \div 12 = \square \cdots \square$

➔ ☐ 상자까지 담고 ☐ kg이 남음

생활 속 연산

교실을 꾸미기 위해 필요한 끈을 자르려고 합니다. 끈 9.57 m를 한 사람에게 0.23 m씩 나누어준다면 몇 명이 받을 수 있고, 남는 끈의 길이는 몇 m인지 구하세요.

(,)

6. 나눗셈의 몫과 나머지를 바르게 구했는지 확인하기

예 5.9÷0.8의 몫을 자연수 부분까지 구하고 바르게 구했는지 확인하기

```
       7
0.8 ) 5.9
      5 6
      ---
      0.3
```

몫과 나머지를 바르게 구했는지 검산으로 확인해 보자!

검산 (나누는 수)×(몫)+(나머지)=(나누어지는 수)
➔ $0.8 \times 7 + 0.3 = 5.9$

나눗셈의 몫을 자연수 부분까지 구하고 바르게 구했는지 확인하세요.

1

```
         4
0.3 ) 1.3
      1 2
      ---
      0.1
```

검산 $0.3 \times 4 + 0.1 = 1.3$

2

```
1.7 ) 4.9
```

검산 ______

3

```
0.24 ) 3.97
```

검산 ______

4

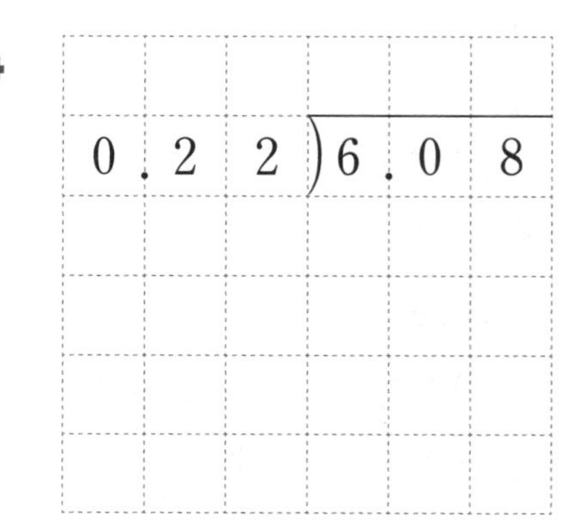

```
0.22 ) 6.08
```

검산 ______

공부한 날 월 일

나눗셈의 몫을 자연수 부분까지 구하고 바르게 구했는지 확인하세요.

5

$0.7\overline{)6.5}$

검산 ____________

6

$1.9\overline{)8.5}$

검산 ____________

7

$0.3\overline{)13.7}$

검산 ____________

8

$0.7\overline{)36.9}$

검산 ____________

9

$13.3\overline{)71.9}$

검산 ____________

10

$20.5\overline{)95.4}$

검산 ____________

11

$17.4\overline{)45.92}$

검산 ____________

12

$11.6\overline{)62.97}$

검산 ____________

마무리 연산

계산을 하세요.

1 $5.6 \div 0.8$

2 $8.4 \div 2.8$

3 $9.6 \div 2.4$

4 $15.6 \div 2.6$

5 $15.2 \div 0.4$

6 $82.6 \div 5.9$

7 $0.54 \div 0.09$

8 $0.72 \div 0.18$

9 $5.16 \div 1.29$

10 $40.05 \div 2.67$

11 $3.64 \div 0.28$

12 $6.72 \div 0.42$

13 $32.64 \div 1.36$

14 $72.96 \div 2.28$

계산을 하세요.

15 $4.2\overline{)7.98}$

16 $2.6\overline{)4.68}$

17 $3.4\overline{)8.16}$

18 $4.8\overline{)13.92}$

19 $6.7\overline{)25.46}$

20 $7.8\overline{)57.72}$

21 $7.8\overline{)35.88}$

22 $25.3\overline{)70.84}$

23 $13.7\overline{)52.06}$

24 $24.9\overline{)67.23}$

25 $14.5\overline{)53.65}$

26 $23.7\overline{)66.36}$

27 $34.6\overline{)83.04}$

28 $34.7\overline{)86.75}$

29 $8.4\overline{)30.24}$

DAY 24

2단계 소수의 나눗셈

마무리 연산

계산을 하세요.

1 $15 \div 0.6$

2 $12 \div 2.4$

3 $72 \div 4.8$

4 $182 \div 3.5$

5 $23 \div 4.6$

6 $169 \div 6.5$

7 $19 \div 3.8$

8 $153 \div 4.25$

9 $43 \div 1.72$

10 $69 \div 1.15$

11 $100 \div 6.25$

12 $35 \div 1.25$

13 $13 \div 0.52$

14 $21 \div 5.25$

몫을 반올림하여 주어진 자리까지 나타내세요.

15

$17 \div 9$

자연수 ( )
소수 첫째 자리 ( )
소수 둘째 자리 ( )

16

$13 \div 9$

자연수 ( )
소수 첫째 자리 ( )
소수 둘째 자리 ( )

17

$24.3 \div 7$

자연수 ( )
소수 첫째 자리 ( )
소수 둘째 자리 ( )

18

$34.97 \div 6$

자연수 ( )
소수 첫째 자리 ( )
소수 둘째 자리 ( )

몫을 자연수 부분까지 구하고 나머지를 알아보세요.

19

$6.5 \div 2$

몫 ( )
나머지 ( )

20

$7.4 \div 3$

몫 ( )
나머지 ( )

21

$28.4 \div 0.6$

몫 ( )
나머지 ( )

22

$95.8 \div 2.7$

몫 ( )
나머지 ( )

3

비례식

학습 결과와 시간을 써 보세요!

학습 내용	학습 회차	맞힌 개수/걸린 시간
1. 비의 성질	DAY 01	/
	DAY 02	/
	DAY 03	/
	DAY 04	/
2. 간단한 자연수의 비로 나타내기	DAY 05	/
	DAY 06	/
	DAY 07	/
	DAY 08	/
마무리 연산	DAY 09	/
	DAY 10	/

DAY 01

3단계 비례식

1. 비의 성질

● **전항과 후항 알아보기**

전항: 비 3 : 4에서 기호 ' : ' 앞에 있는 3

후항: 비 3 : 4에서 기호 ' : ' 뒤에 있는 4

3 : 4
전항 후항

비 3 : 4에서
3과 4는 비의 항이야.

비에서 전항을 찾아 쓰세요.

1 2 : 3

( )

2 3 : 5

( )

3 5 : 7

( )

4 6 : 4

( )

5 0.4 : 0.7

( )

6 0.8 : 0.9

( )

7 $\frac{1}{2} : \frac{1}{3}$

( )

8 $\frac{3}{4} : \frac{4}{5}$

( )

비에서 후항을 찾아 쓰세요.

9 $3:7$

( )

10 $6:8$

( )

11 $7:9$

( )

12 $9:10$

( )

13 $11:14$

( )

14 $16:20$

( )

15 $0.3:0.5$

( )

16 $0.7:0.9$

( )

17 $1.3:1.6$

( )

18 $1.4:1.8$

( )

19 $\frac{2}{5}:\frac{3}{4}$

( )

20 $\frac{5}{6}:\frac{4}{7}$

( )

1. 비의 성질

● **비의 성질** (1)

비의 전항과 후항에 0이 아닌 같은 수를 곱하여도 비율은 같습니다.

$$5:6=(5\times2):(6\times2)=10:12$$

비율: $\frac{5}{6}$ 　 비율: $\frac{10}{12}=\frac{5}{6}$

5 : 6의 전항과 후항에 각각 0을 곱하면 0 : 0이 되므로 비율은 같지 않아.

비의 성질을 이용하여 □ 안에 알맞은 수를 써넣으세요.

1 $2:5=(2\times4):(5\times\boxed{4})$
$=\boxed{8}:\boxed{20}$

2 $5:3=(5\times8):(3\times\square)$
$=\square:\square$

3 $7:9=(7\times9):(9\times\square)$
$=\square:\square$

4 $9:6=(9\times5):(6\times\square)$
$=\square:\square$

5 $12:14=(12\times\square):(14\times5)$
$=\square:\square$

6 $14:10=(14\times\square):(10\times7)$
$=\square:\square$

7 $16:18=(16\times\square):(18\times4)$
$=\square:\square$

8 $18:14=(18\times\square):(14\times5)$
$=\square:\square$

비의 성질을 이용하여 □ 안에 알맞은 수를 써넣으세요.

9

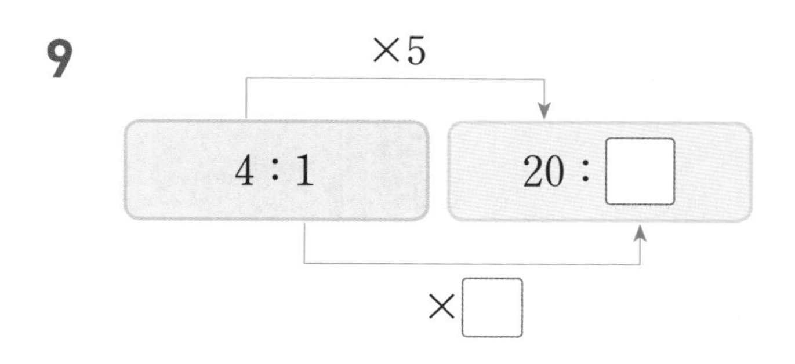

10

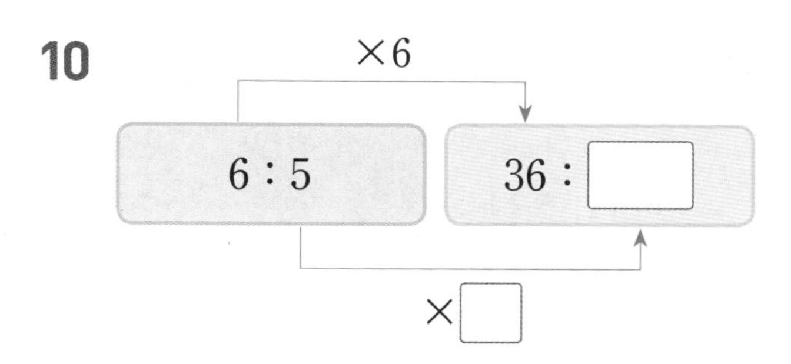

11

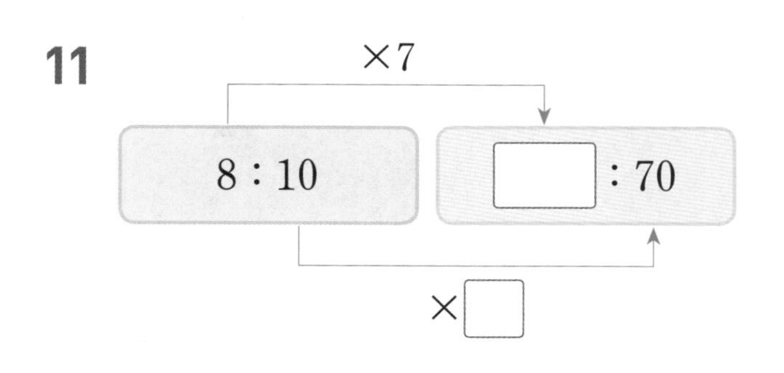

12

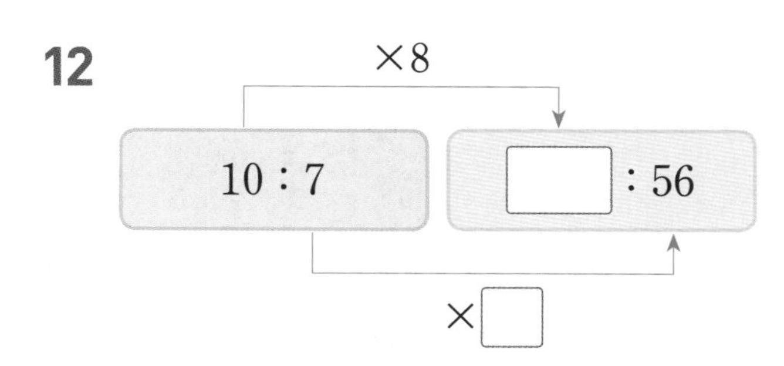

13

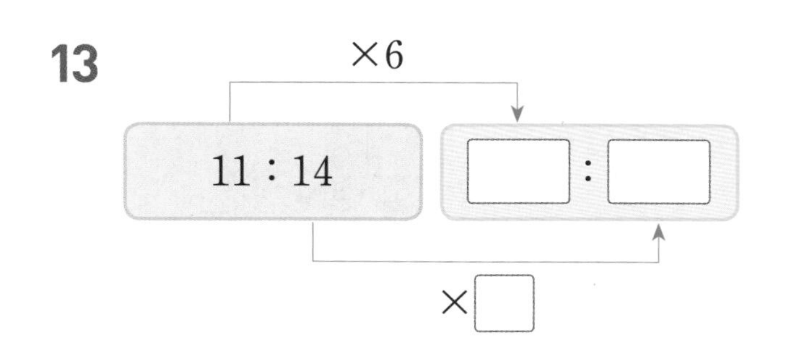

14

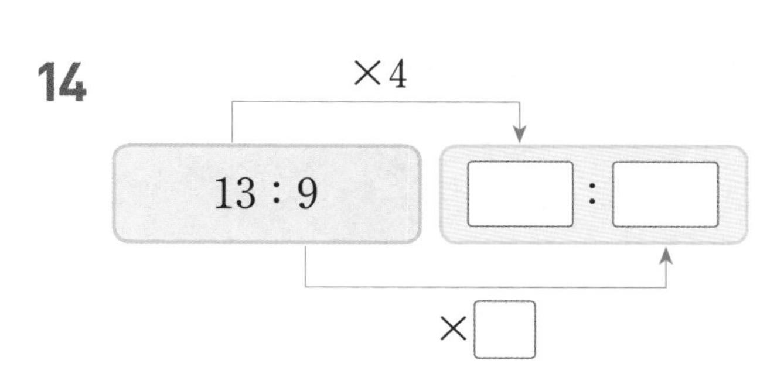

15

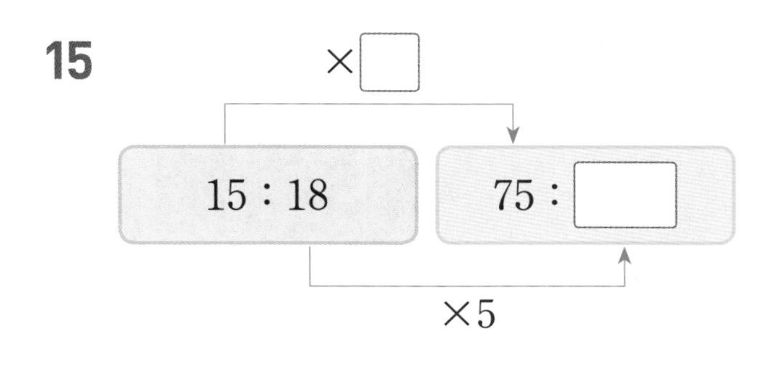

16

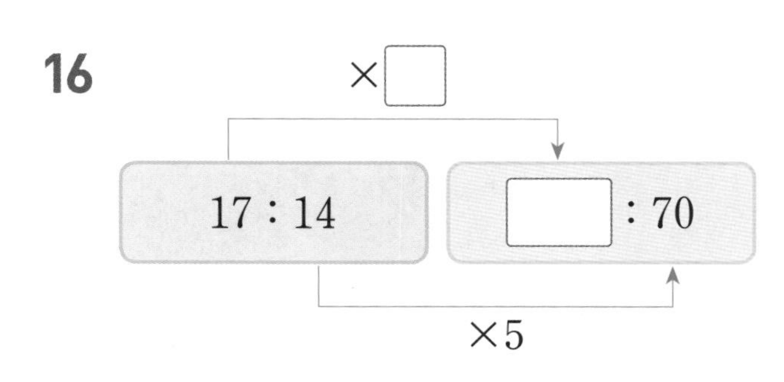

17

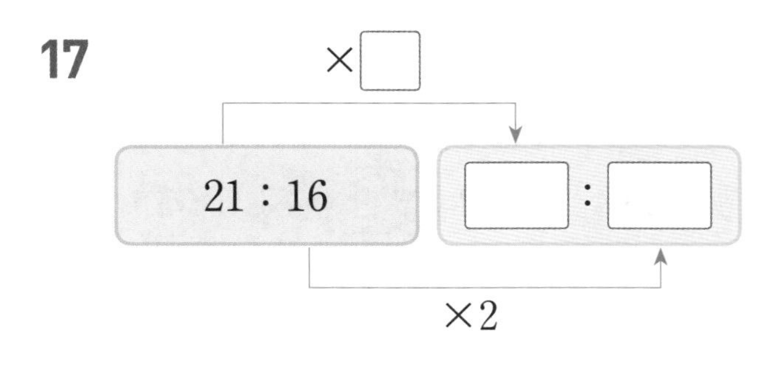

18

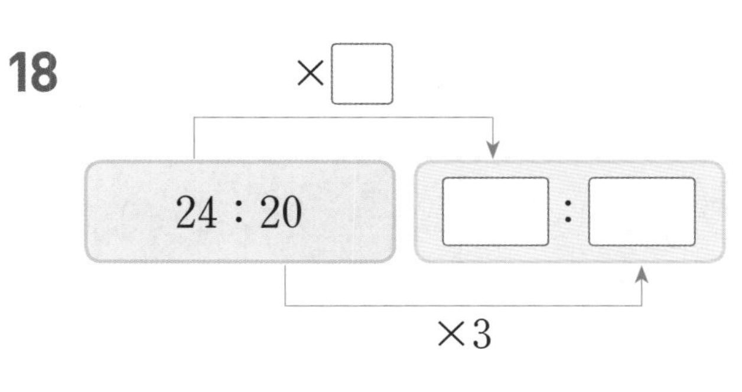

DAY 03

3단계 비례식

1. 비의 성질

● **비의 성질** (2)

비의 전항과 후항을 0이 아닌 같은 수로 나누어도 비율은 같습니다.

$10:12=(10\div2):(12\div2)=5:6$

비율: $\frac{10}{12}=\frac{5}{6}$ 비율: $\frac{5}{6}$

비의 성질을 이용하여 □ 안에 알맞은 수를 써넣으세요.

1 $4:6=(4\div2):(6\div\boxed{2})$
$=\boxed{2}:\boxed{3}$

2 $6:3=(6\div3):(3\div\square)$
$=\square:\square$

3 $8:12=(8\div4):(12\div\square)$
$=\square:\square$

4 $10:8=(10\div2):(8\div\square)$
$=\square:\square$

5 $12:18=(12\div\square):(18\div6)$
$=\square:\square$

6 $20:25=(20\div\square):(25\div5)$
$=\square:\square$

7 $27:45=(27\div\square):(45\div9)$
$=\square:\square$

8 $28:21=(28\div\square):(21\div7)$
$=\square:\square$

비의 성질을 이용하여 □ 안에 알맞은 수를 써넣으세요.

9

$\div 5$

$5 : 15$ → $1 : \square$

$\div \square$

10

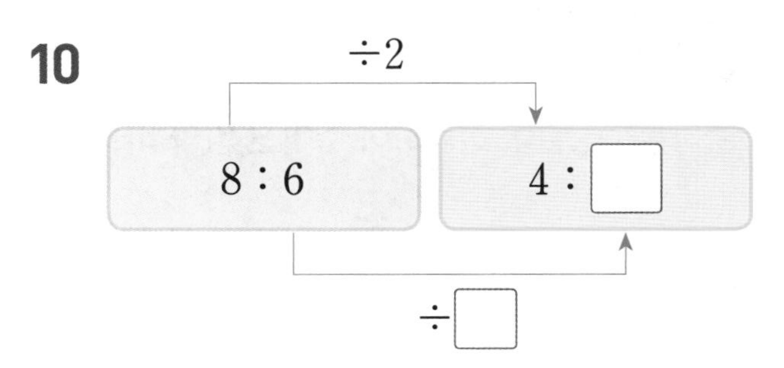

11

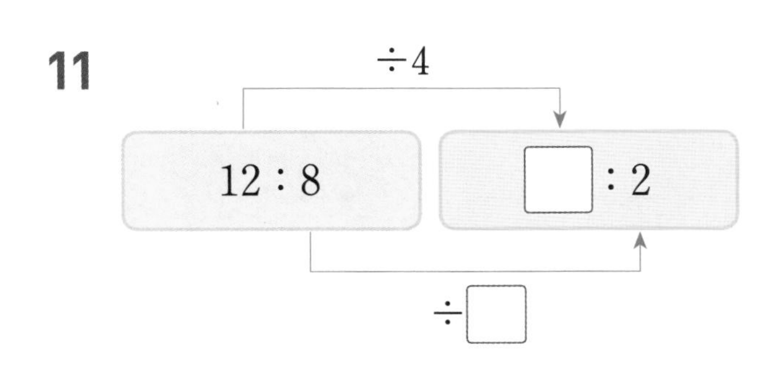

12

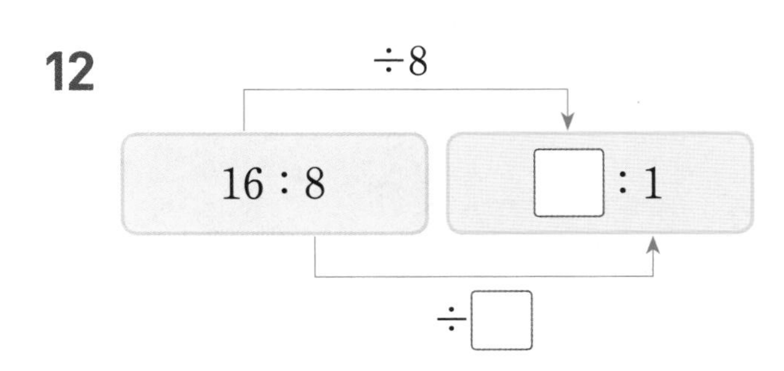

13

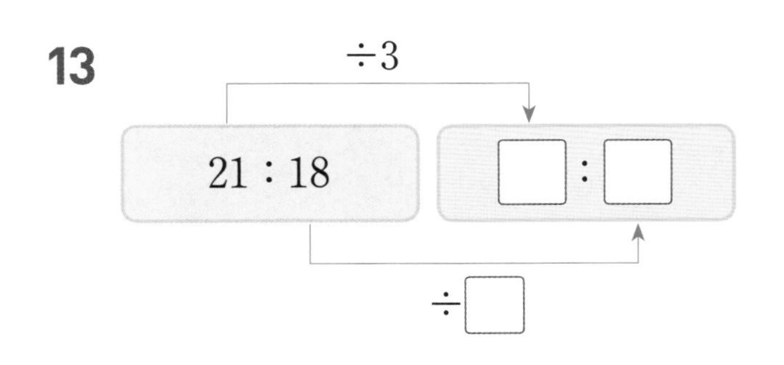

14

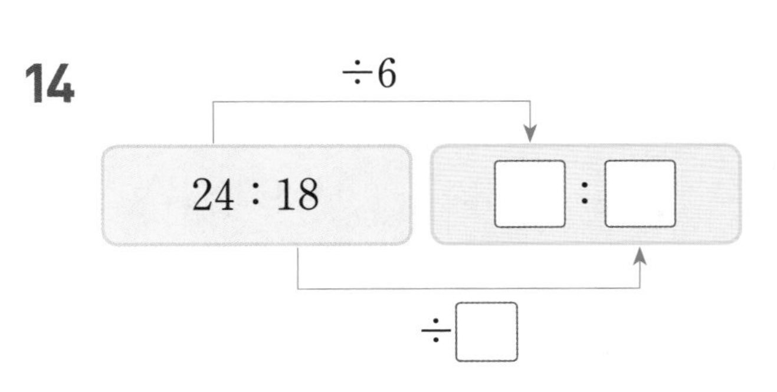

15

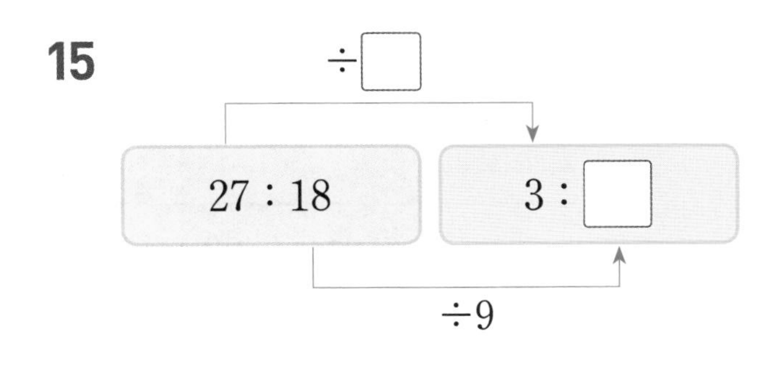

16

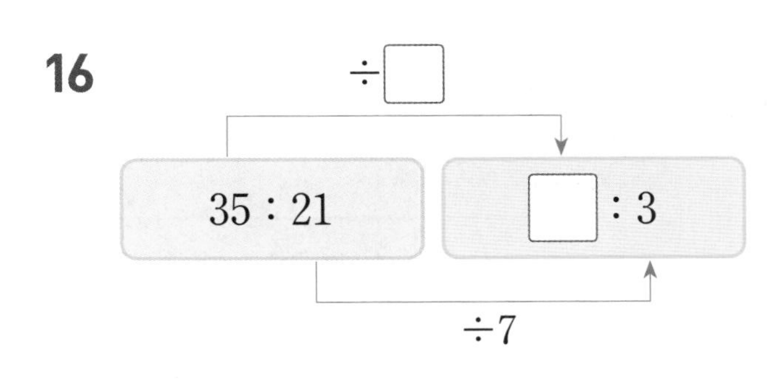

17

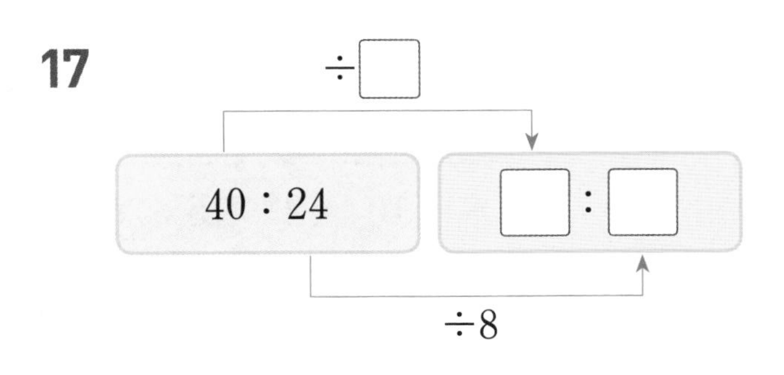

18

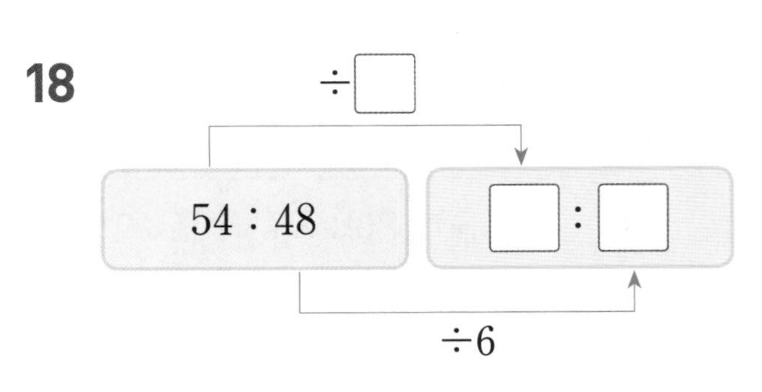

DAY 04

3단계 비례식

1. 비의 성질

비의 성질을 이용하여 주어진 비와 비율이 같은 비를 찾아 쓰세요.

1 2 : 3

→ 4 : 7　6 : 9　7 : 12

(　　　　　　)

2 8 : 24

→ 1 : 3　2 : 8　9 : 10

(　　　　　　)

3 4 : 3

→ 16 : 11　21 : 15　24 : 18

(　　　　　　)

4 12 : 48

→ 2 : 12　4 : 16　6 : 36

(　　　　　　)

5 7 : 4

→ 21 : 12　28 : 15　34 : 20

(　　　　　　)

6 20 : 16

→ 3 : 2　5 : 4　10 : 9

(　　　　　　)

7 11 : 12

→ 22 : 24　44 : 58　77 : 72

(　　　　　　)

8 25 : 60

→ 2 : 4　5 : 12　20 : 36

(　　　　　　)

9 15 : 17

→ 45 : 50　80 : 85　105 : 119

(　　　　　　)

10 32 : 48

→ 4 : 6　10 : 12　16 : 25

(　　　　　　)

비의 성질을 이용하여 주어진 비와 비율이 같은 비를 찾아 이으세요.

11

3 : 5	9 : 20
6 : 4	3 : 2
	12 : 20

12

18 : 27	10 : 14
5 : 7	12 : 20
	6 : 9

13

9 : 7	27 : 21
12 : 15	18 : 16
	4 : 5

14

42 : 56	30 : 34
20 : 13	3 : 4
	40 : 26

15

13 : 10	27 : 18
54 : 36	39 : 30
	52 : 45

16

32 : 28	8 : 7
14 : 11	42 : 33
	58 : 44

생활 속 연산

서연이는 가족사진을 담은 액자의 세로 길이를 알아보려고 합니다. 액자의 가로와 세로의 비는 8 : 5입니다. 액자의 가로가 32 cm라면 세로는 몇 cm인지 구하세요.

(   )

3단계 비례식

2. 간단한 자연수의 비로 나타내기

예 15 : 20을 가장 간단한 자연수의 비로 나타내기

$15 : 20 = (15 \div 5) : (20 \div 5)$
$= 3 : 4$

→ 15와 20의 최대공약수 5로 나눠.

전항과 후항을 두 수의 최대공약수로 나누어 간단한 자연수의 비로 나타내자.

가장 간단한 자연수의 비로 나타내려고 합니다. □ 안에 알맞은 수를 써넣으세요.

→ 3과 12의 최대공약수

1 $3 : 12 = (3 \div \boxed{3}) : (12 \div \boxed{3})$
$= \boxed{1} : \boxed{4}$

2 $8 : 20 = (8 \div \square) : (20 \div \square)$
$= \square : \square$

3 $10 : 2 = (10 \div \square) : (2 \div \square)$
$= \square : \square$

4 $12 : 18 = (12 \div \square) : (18 \div \square)$
$= \square : \square$

5 $24 : 16 = (24 \div \square) : (16 \div \square)$
$= \square : \square$

6 $30 : 25 = (30 \div \square) : (25 \div \square)$
$= \square : \square$

7 $45 : 63 = (45 \div \square) : (63 \div \square)$
$= \square : \square$

8 $56 : 49 = (56 \div \square) : (49 \div \square)$
$= \square : \square$

가장 간단한 자연수의 비로 나타내세요.

9
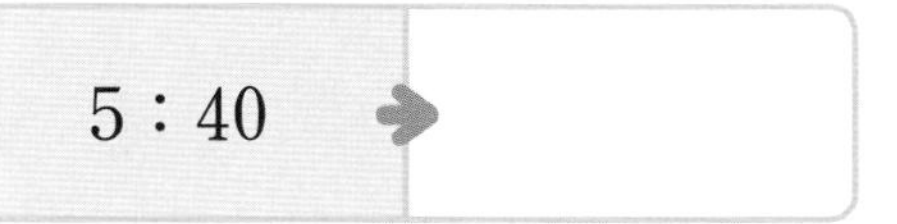

10

11

12

13

14

15

16
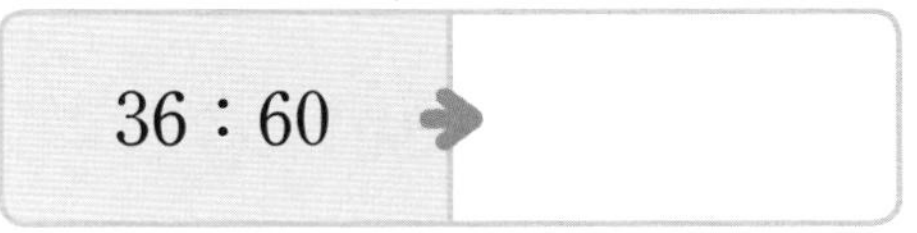

17

18

19

20
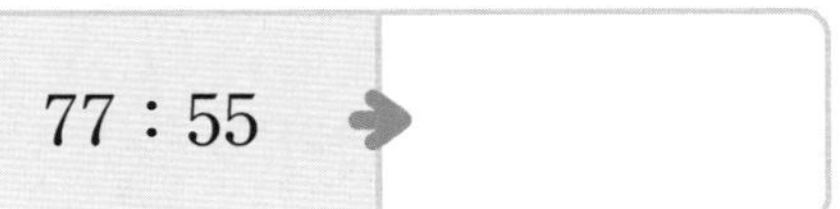

3단계 비례식

2. 간단한 자연수의 비로 나타내기

예 $0.6:1.8$을 가장 간단한 자연수의 비로 나타내기

$0.6:1.8=(0.6\times10):(1.8\times10)$
$=6:18$
$=(6\div6):(18\div6)$
$=1:3$

→ 소수 한 자리 수이므로 10을 곱해.
→ 6과 18의 최대공약수 6으로 나눠.

소수를 자연수로 바꾼 후 전항과 후항의 최대공약수로 나누면 돼.

가장 간단한 자연수의 비로 나타내려고 합니다. □ 안에 알맞은 수를 써넣으세요.

1 $0.4:0.7=(0.4\times10):(0.7\times$ [10] $)$
$=$ [4] : [7]

2 $1.4:3.1=(1.4\times$ □ $):(3.1\times10)$
$=$ □ : □

3 $0.5:3.5=(0.5\times10):(3.5\times$ □ $)$
$=$ □ : □
$=($□$\div5):($□$\div5)$
$=$ □ : □

4 $2.7:0.6=(2.7\times$ □ $):(0.6\times10)$
$=$ □ : □
$=($□$\div3):($□$\div3)$
$=$ □ : □

5 $2.4:3.2=(2.4\times10):(3.2\times$ □ $)$
$=$ □ : □
$=($□$\div8):($□$\div8)$
$=$ □ : □

6 $4.2:5.4=(4.2\times$ □ $):(5.4\times10)$
$=$ □ : □
$=($□$\div6):($□$\div6)$
$=$ □ : □

가장 간단한 자연수의 비로 나타내세요.

7

0.3 : 0.8

(　　　　　　　　)

8

0.7 : 0.9

(　　　　　　　　)

9

2.7 : 1.8

(　　　　　　　　)

10

3.2 : 1.2

(　　　　　　　　)

11

4.8 : 3.6

(　　　　　　　　)

12

5.2 : 2.6

(　　　　　　　　)

13

0.16 : 0.25

(　　　　　　　　)

14

0.39 : 0.45

(　　　　　　　　)

15

0.64 : 0.37

(　　　　　　　　)

16

1.08 : 0.84

(　　　　　　　　)

17

0.6 : 4.8

(　　　　　　　　)

18

5.6 : 1.8

(　　　　　　　　)

DAY 07

◎3단계 비례식

2. 간단한 자연수의 비로 나타내기

예 $\frac{4}{5}:\frac{2}{3}$를 가장 간단한 자연수의 비로 나타내기

$$\frac{4}{5}:\frac{2}{3}=\left(\frac{4}{5}\times 15\right):\left(\frac{2}{3}\times 15\right)$$
$$=12:10$$
$$=(12\div 2):(10\div 2)$$
$$=6:5$$

→ 5와 3의 최소공배수 15를 곱해.

→ 12와 10의 최대공약수 2로 나눠.

가장 간단한 자연수의 비로 나타내려고 합니다. □ 안에 알맞은 수를 써넣으세요.

1 $\frac{1}{3}:\frac{1}{4}=\left(\frac{1}{3}\times 12\right):\left(\frac{1}{4}\times \boxed{12}\right)$

→ 3과 4의 최소공배수

$=\boxed{4}:\boxed{3}$

2 $\frac{5}{6}:\frac{2}{9}=\left(\frac{5}{6}\times \square\right):\left(\frac{2}{9}\times 18\right)$

$=\square:\square$

3 $\frac{3}{4}:\frac{3}{7}=\left(\frac{3}{4}\times 28\right):\left(\frac{3}{7}\times \square\right)$

$=\square:\square$

$=(\square\div 3):(\square\div 3)$

$=\square:\square$

4 $\frac{2}{5}:\frac{4}{7}=\left(\frac{2}{5}\times \square\right):\left(\frac{4}{7}\times 35\right)$

$=\square:\square$

$=(\square\div 2):(\square\div 2)$

$=\square:\square$

대분수는 가분수로 바꿔서 계산해.

5 $1\frac{1}{3}:\frac{3}{4}=\frac{\square}{3}:\frac{3}{4}$

$=\left(\frac{\square}{3}\times 12\right):\left(\frac{3}{4}\times \square\right)$

$=\square:\square$

6 $1\frac{1}{2}:1\frac{3}{4}=\frac{\square}{2}:\frac{\square}{4}$

$=\left(\frac{\square}{2}\times \square\right):\left(\frac{\square}{4}\times 4\right)$

$=\square:\square$

가장 간단한 자연수의 비로 나타내세요.

7 $\frac{1}{3} : \frac{1}{5}$ →

8 $\frac{1}{4} : \frac{1}{7}$ →

9 $\frac{2}{3} : \frac{5}{8}$ →

10 $\frac{3}{5} : \frac{5}{7}$ →

11 $\frac{3}{8} : \frac{3}{5}$ →

12 $\frac{5}{7} : \frac{10}{11}$ →

13 $1\frac{3}{4} : 2\frac{2}{5}$ →

14 $2\frac{3}{5} : 1\frac{1}{6}$ →

15 $1\frac{1}{11} : 1\frac{1}{3}$ →

16 $3\frac{1}{5} : 2\frac{2}{3}$ →

17 $\frac{2}{5} : 1\frac{1}{2}$ →

18 $\frac{4}{5} : 1\frac{1}{7}$ →

3단계 비례식

2. 간단한 자연수의 비로 나타내기

예 $0.4:1\frac{3}{5}$을 가장 간단한 자연수의 비로 나타내기

방법 1 → 분수를 소수로 나타낸 후 간단한 자연수의 비로 나타내.

$0.4:1\frac{3}{5}=0.4:1.6$
$=(0.4\times10):(1.6\times10)$
$=4:16$
$=(4\div4):(16\div4)$
$=1:4$

방법 2 → 소수를 분수로 나타낸 후 간단한 자연수의 비로 나타내.

$0.4:1\frac{3}{5}=\frac{4}{10}:\frac{8}{5}$
$=\left(\frac{4}{10}\times10\right):\left(\frac{8}{5}\times10\right)$
$=4:16$
$=(4\div4):(16\div4)$
$=1:4$

가장 간단한 자연수의 비로 나타내려고 합니다. □ 안에 알맞은 수를 써넣으세요.

1 $0.5:1\frac{1}{2}=0.5:1.5$
$=(0.5\times10):(1.5\times$ [10] $)$
$=5:$ [15]
$=(5\div5):($ [15] $\div5)$
$=$ [1] $:$ [3]

2 $1.4:1\frac{4}{5}=1.4:1.8$
$=(1.4\times10):(1.8\times$ □ $)$
$=14:$ □
$=(14\div2):($ □ $\div2)$
$=$ □ $:$ □

3 $\frac{3}{7}:0.9=\frac{3}{7}:\frac{9}{10}$
$=\left(\frac{3}{7}\times70\right):\left(\frac{9}{10}\times\right.$ □ $\left.\right)$
$=30:$ □
$=(30\div3):($ □ $\div3)$
$=$ □ $:$ □

4 $1\frac{1}{4}:2.5=\frac{5}{4}:\frac{25}{10}$
$=\left(\frac{5}{4}\times20\right):\left(\frac{25}{10}\times\right.$ □ $\left.\right)$
$=25:$ □
$=(25\div25):($ □ $\div25)$
$=$ □ $:$ □

가장 간단한 자연수의 비로 나타내세요.

5

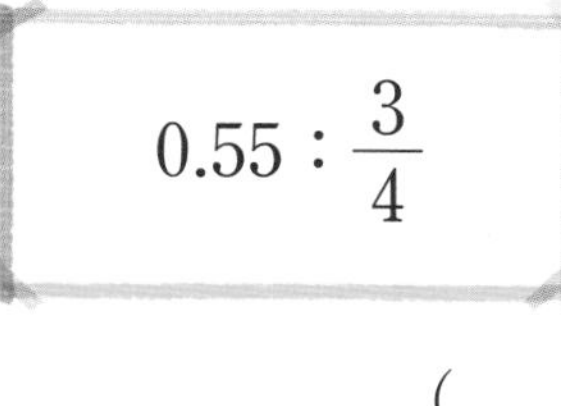

$0.55 : \frac{3}{4}$

(　　　　　　　　)

6

$0.8 : \frac{2}{3}$

(　　　　　　　　)

7

$1.2 : \frac{3}{25}$

(　　　　　　　　)

8

$1.4 : \frac{1}{2}$

(　　　　　　　　)

9

$1.6 : 1\frac{2}{3}$

(　　　　　　　　)

10

$2.45 : 2\frac{1}{10}$

(　　　　　　　　)

11

$\frac{5}{7} : 0.6$

(　　　　　　　　)

12

$\frac{4}{5} : 0.24$

(　　　　　　　　)

생활 속 연산

수연이가 반죽으로 쿠키를 만들었습니다. 전체의 0.55를 사용하여 별 모양으로 만들고, 전체의 $\frac{1}{4}$을 사용하여 원 모양으로 쿠키를 만들었습니다. 별 모양을 만든 반죽 양과 원 모양을 만든 반죽 양의 비를 가장 간단한 자연수의 비로 나타내세요.

(　　　　　　　　)

마무리 연산

비의 성질을 이용하여 □ 안에 알맞은 수를 써넣으세요.

1
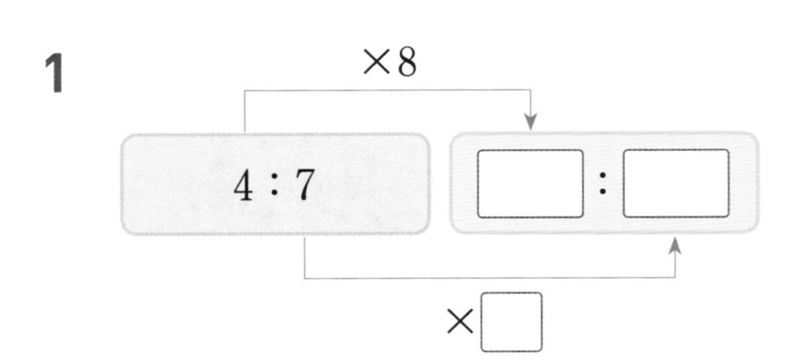

2
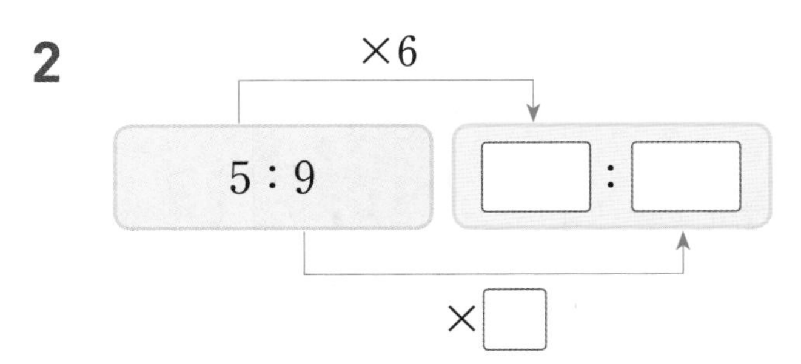

3
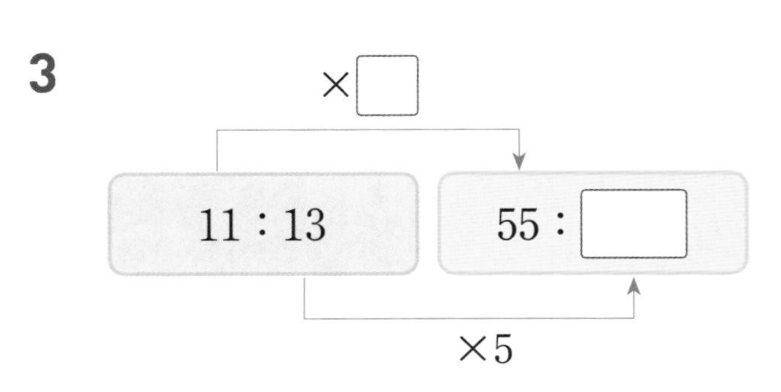

4
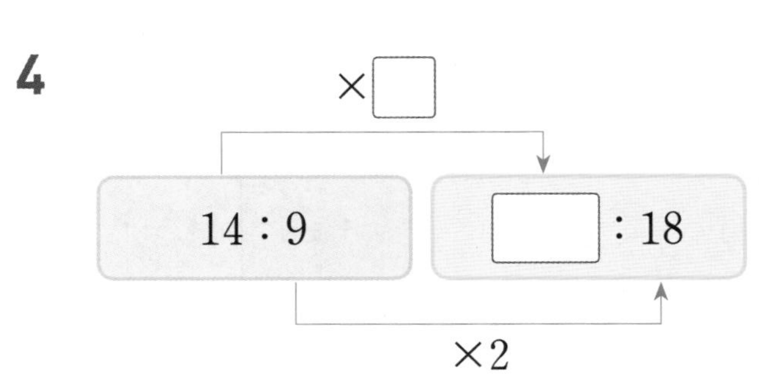

5
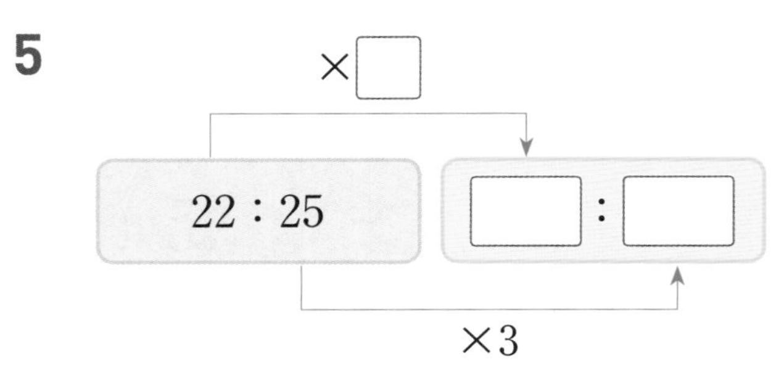

6
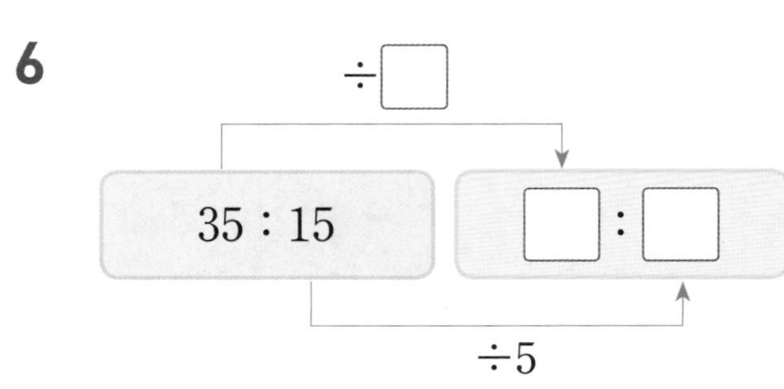

7
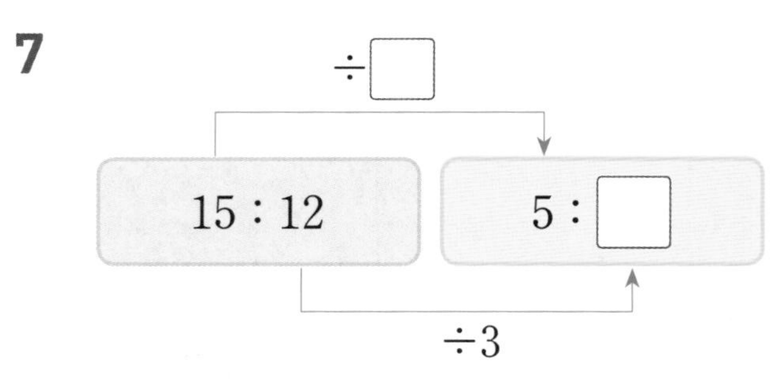

8
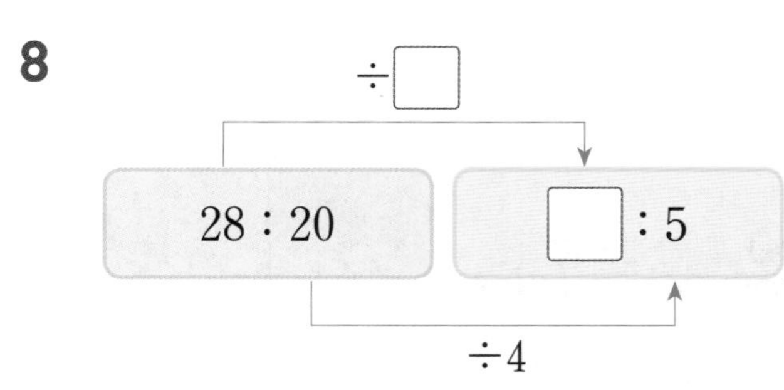

9
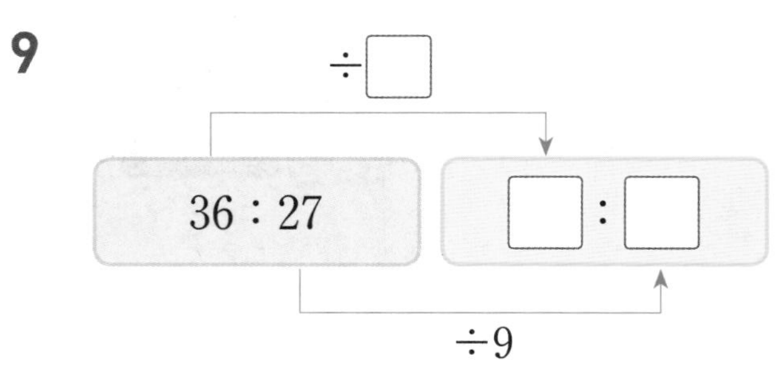

10
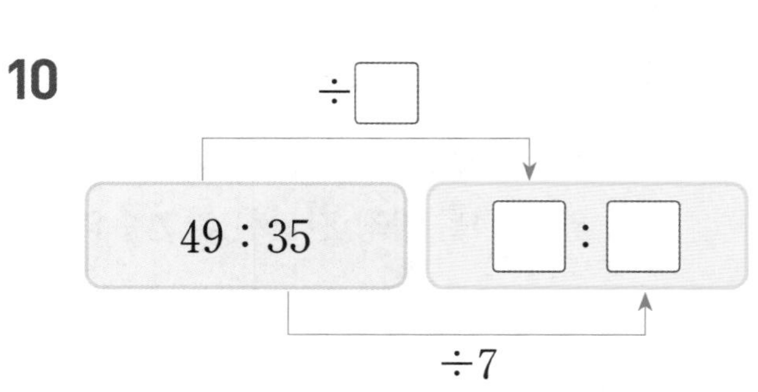

비의 성질을 이용하여 주어진 비와 비율이 같은 비를 찾아 쓰세요.

11 5 : 4

→ 10 : 9 15 : 12 20 : 17

( )

12 8 : 5

→ 48 : 32 56 : 40 64 : 40

( )

13 12 : 7

→ 60 : 35 72 : 44 84 : 50

( )

14 15 : 11

→ 45 : 33 60 : 45 70 : 55

( )

15 20 : 13

→ 80 : 44 100 : 65 120 : 80

( )

16 24 : 14

→ 15 : 8 6 : 5 12 : 7

( )

17 14 : 28

→ 1 : 2 2 : 3 7 : 15

( )

18 24 : 30

→ 4 : 6 8 : 10 12 : 16

( )

19 36 : 48

→ 9 : 14 12 : 16 18 : 25

( )

20 45 : 30

→ 3 : 4 9 : 7 15 : 10

( )

DAY 10

3단계 비례식

마무리 연산

가장 간단한 자연수의 비로 나타내세요.

1 $4 : 18$

(　　　　　　)

2 $14 : 35$

(　　　　　　)

3 $27 : 45$

(　　　　　　)

4 $32 : 56$

(　　　　　　)

5 $40 : 15$

(　　　　　　)

6 $54 : 42$

(　　　　　　)

7 $60 : 32$

(　　　　　　)

8 $78 : 45$

(　　　　　　)

9 $3.6 : 2.7$

(　　　　　　)

10 $0.36 : 0.48$

(　　　　　　)

11 $0.88 : 1.54$

(　　　　　　)

12 $2.56 : 1.76$

(　　　　　　)

가장 간단한 자연수의 비로 나타내세요.

13 $\frac{1}{4} : \frac{1}{5}$

( )

14 $\frac{5}{8} : \frac{5}{7}$

( )

15 $1\frac{1}{6} : 1\frac{1}{5}$

( )

16 $3\frac{1}{4} : 2\frac{3}{5}$

( )

17 $\frac{2}{7} : 1\frac{1}{3}$

( )

18 $1\frac{2}{9} : \frac{7}{18}$

( )

19 $1.3 : \frac{1}{20}$

( )

20 $0.14 : \frac{4}{25}$

( )

21 $1.8 : 2\frac{4}{5}$

( )

22 $2.25 : 2\frac{7}{10}$

( )

23 $\frac{7}{25} : 0.48$

( )

24 $\frac{39}{50} : 2.08$

( )

4

비례배분

학습 결과와 시간을 써 보세요!

학습 내용	학습 회차	맞힌 개수/걸린 시간
1. 비례식	DAY 01	/
	DAY 02	/
2. 비례식의 성질	DAY 03	/
	DAY 04	/
	DAY 05	/
3. 비례배분	DAY 06	/
	DAY 07	/
	DAY 08	/
마무리 연산	DAY 09	/
	DAY 10	/

DAY 01

1. 비례식

비례식 알아보기

비율이 같은 두 비를 기호 '='를 사용하여 2 : 3=8 : 12와 같이 나타낼 수 있습니다. 이와 같은 식을 비례식이라고 합니다.

2 : 3=8 : 12

비율이 같은 두 비를 찾아 비례식을 세워 보세요.

1 2 : 3 12 : 18 4 : 3

→ 2 : 3= 12 : 18

2 7 : 9 42 : 50 49 : 63

→ 7 : 9= ☐ : ☐

3 20 : 25 16 : 18 4 : 5

→ ______

4 27 : 12 18 : 10 9 : 5

→ ______

5 6 : 5 6 : 8 48 : 40

→ ______

6 27 : 30 27 : 45 3 : 5

→ ______

7 8 : 11 15 : 22 24 : 33

→ ______

8 5 : 8 15 : 20 20 : 32

→ ______

비율이 같은 두 비를 찾아 비례식을 세워 보세요.

9 $0.3 : 0.4 \quad 6 : 8 \quad 9 : 10$

➔ ______

10 $24 : 27 \quad 0.8 : 0.9 \quad 32 : 35$

➔ ______

11 $2 : 1 \quad 3 : 2 \quad 1.4 : 0.7$

➔ ______

12 $14 : 15 \quad 2.8 : 3.2 \quad 7 : 8$

➔ ______

13 $3.6 : 2.4 \quad 12 : 8 \quad 6 : 5$

➔ ______

14 $4 : 3 \quad 12 : 7 \quad 4.8 : 3.6$

➔ ______

15 $\frac{1}{3} : \frac{1}{5} \quad 5 : 2 \quad 10 : 6$

➔ ______

16 $16 : 9 \quad \frac{2}{3} : \frac{3}{8} \quad 8 : 4$

➔ ______

17 $21 : 9 \quad 63 : 24 \quad \frac{3}{4} : \frac{2}{7}$

➔ ______

18 $\frac{3}{5} : \frac{2}{3} \quad 8 : 10 \quad 36 : 40$

➔ ______

DAY 02

4단계 비례배분

1. 비례식

● 외항과 내항 알아보기

비례식 $2:3=8:12$에서 바깥쪽에 있는 2와 12를 외항, 안쪽에 있는 3과 8을 내항이라고 합니다.

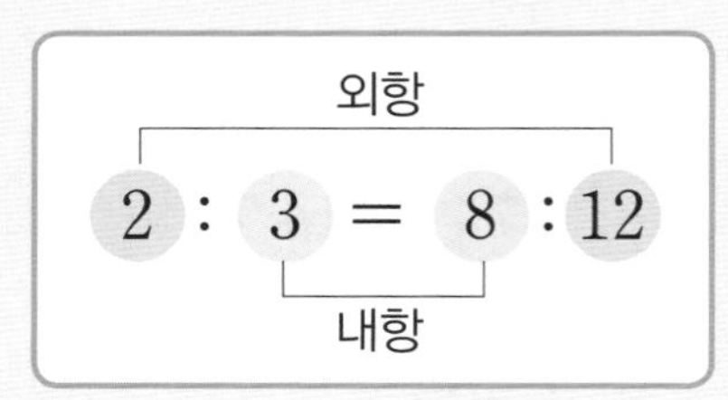

$2:3=8:12$에서 각각의 수 2, 3, 8, 12를 항이라고 해.

□ 안에 알맞은 수나 말을 써넣으세요.

1 $4:3=16:12$

4와 12는 비례식의 [외항]이고
3과 16은 비례식의 [내항]입니다.

2 $2:5=6:15$

5와 6은 비례식의 □이고
2와 15는 비례식의 □입니다.

3 $0.5:0.9=5:9$

□와 □는 비례식의 외항이고
□와 □는 비례식의 내항입니다.

4 $1.8:1.6=9:8$

□과 □은 비례식의 외항이고
□과 □는 비례식의 내항입니다.

5 $\frac{1}{2}:\frac{1}{3}=3:2$

$\frac{1}{2}$과 2는 비례식의 □이고

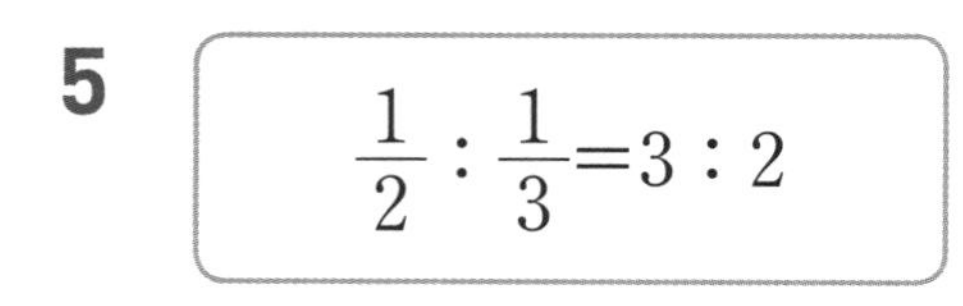
□과 □은 비례식의 내항입니다.

6 $\frac{3}{4}:\frac{4}{5}=15:16$

□와 □는 비례식의 내항이고
$\frac{3}{4}$과 16은 비례식의 □입니다.

비례식에서 외항과 내항을 각각 쓰세요.

7 $7:3=28:12$

외항 (,)
내항 (,)

8 $8:7=64:56$

외항 (,)
내항 (,)

9 $24:30=4:5$

외항 (,)
내항 (,)

10 $35:14=5:2$

외항 (,)
내항 (,)

11 $0.3:0.5=3:5$

외항 (,)
내항 (,)

12 $1.6:0.4=4:1$

외항 (,)
내항 (,)

13 $2.5:1.5=5:3$

외항 (,)
내항 (,)

14 $3.2:2.6=16:13$

외항 (,)
내항 (,)

15 $\frac{3}{5}:\frac{3}{8}=8:5$

외항 (,)
내항 (,)

16 $\frac{2}{7}:\frac{4}{9}=9:14$

외항 (,)
내항 (,)

DAY 03

4단계 비례배분

2. 비례식의 성질

● **비례식의 성질**

비례식에서 외항의 곱과 내항의 곱은 같습니다.

$2\times12=24$

$2:3=8:12$

$3\times8=24$

외항의 곱: $2\times12=24$
내항의 곱: $3\times8=24$

비례식에서 외항의 곱과 내항의 곱이 같으면 옳은 비례식이야.

□ 안에 알맞은 수를 쓰고 알맞은 비례식이면 ○표, 아니면 ×표 하세요.

1

$3\times13=$ [39]

$3:4=9:13$

$4\times9=$ [36]

(×)

2

$6\times15=$ □

$6:5=18:15$

$5\times18=$ □

(　　)

3

$0.3\times10=$ □

$0.3:0.6=5:10$

$0.6\times5=$ □

(　　)

4

$1.2\times5=$ □

$1.2:1.5=8:5$

$1.5\times8=$ □

(　　)

5

$\frac{2}{5}\times5=$ □

$\frac{2}{5}:\frac{1}{2}=4:5$

$\frac{1}{2}\times4=$ □

(　　)

6

$\frac{3}{8}\times16=$ □

$\frac{3}{8}:\frac{1}{6}=24:16$

$\frac{1}{6}\times24=$ □

(　　)

비례식의 성질을 이용하여 알맞은 비례식이면 ○표, 아니면 ×표 하세요.

7 $3:5=18:30$

( )

8 $5:6=15:17$

( )

9 $7:2=35:12$

( )

10 $9:5=36:20$

( )

11 $11:12=22:24$

( )

12 $13:10=39:32$

( )

13 $0.4:0.3=8:7$

( )

14 $0.7:0.9=14:18$

( )

15 $1.5:4.2=5:14$

( )

16 $3.5:6.3=5:8$

( )

17 $\frac{1}{3}:\frac{1}{7}=7:3$

( )

18 $\frac{1}{6}:\frac{5}{11}=11:25$

( )

2. 비례식의 성질

● 비례식의 성질을 이용하여 □의 값 구하기 (1)

비례식에서 외항의 곱과 내항의 곱은 같다는 성질을 이용하여 □의 값을 구할 수 있습니다.

$3 \times \square$

$3 : 4 = 12 : \square$

4×12

➔ $3 \times \square = 4 \times 12$

$3 \times \square = 48$

$\square = 48 \div 3$

$\square = 16$

비례식의 성질을 이용해 □의 값을 구할 수도 있어.

비례식의 성질을 이용하여 ●의 값을 구하세요.

1 $3 : 2 = 9 : ●$

➔ $3 \times ● = 2 \times 9$

$3 \times ● = $ 18

$● = $ 18 $\div 3$

$● = $ 6

2 $4 : 5 = ● : 25$

➔ $4 \times 25 = 5 \times ●$

$5 \times ● = \square$

$● = \square \div 5$

$● = \square$

3 $7 : ● = 35 : 20$

➔ $7 \times 20 = ● \times 35$

$● \times 35 = \square$

$● = \square \div 35$

$● = \square$

4 $● : 5 = 18 : 10$

➔ $● \times 10 = 5 \times 18$

$● \times 10 = \square$

$● = \square \div 10$

$● = \square$

비례식의 성질을 이용하여 □ 안에 알맞은 수를 써넣으세요.

5 1 : 5=5 : □

6 4 : 6=□ : 3

7 5 : □=15 : 24

8

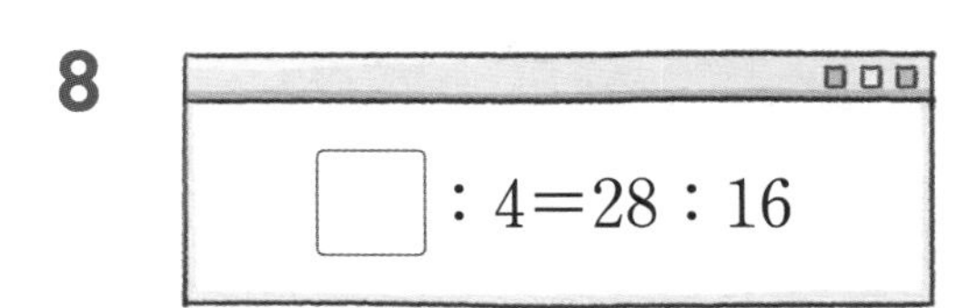

9

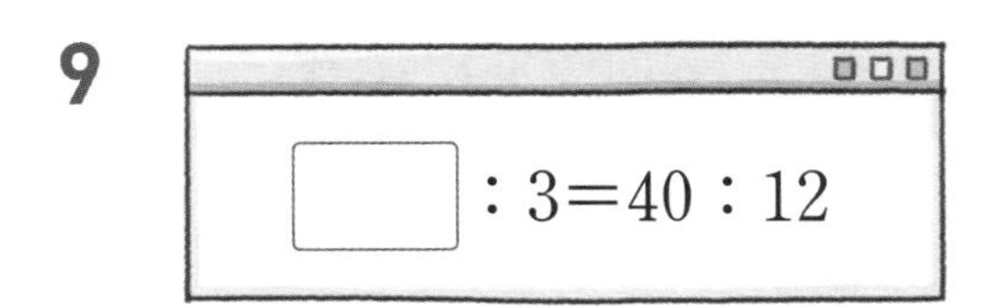

10

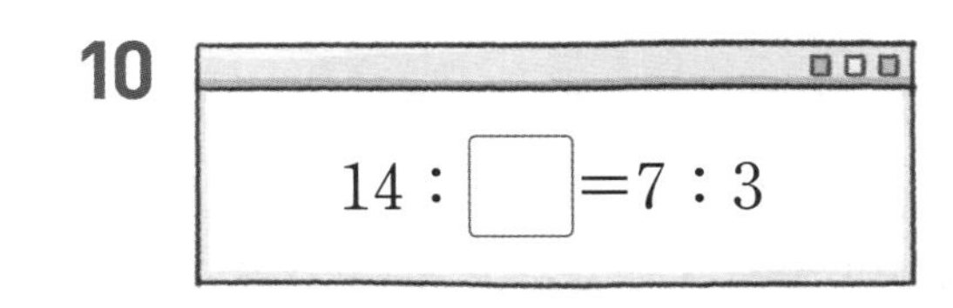

11 20 : 35=□ : 7

12

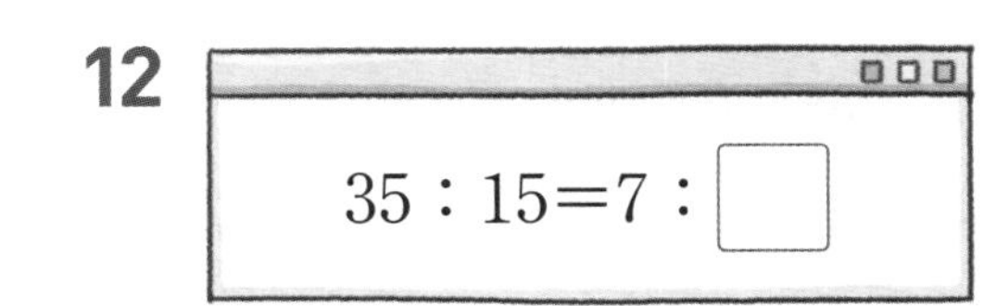

13 40 : □=8 : 5

14

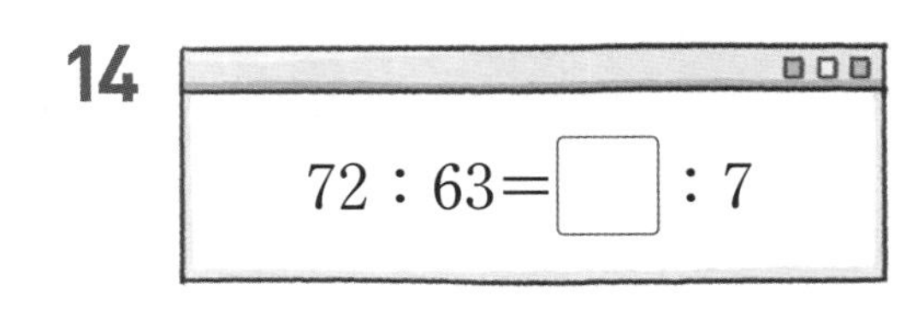

15 60 : 50=6 : □

16 □ : 12=9 : 2

DAY 05

4단계 비례배분

2. 비례식의 성질

● 비례식의 성질을 이용하여 □의 값 구하기 (2)

예 $2:3=0.6:\square$

→ $2\times\square=3\times0.6$

$2\times\square=1.8$

$\square=1.8\div2$

$\square=0.9$

예 $\frac{1}{3}:\frac{1}{4}=\square:3$

→ $\frac{1}{3}\times3=\frac{1}{4}\times\square$

$\frac{1}{4}\times\square=1$

$\square=1\div\frac{1}{4}$

$\square=4$

비례식의 성질을 이용하여 ●의 값을 구하세요.

1 $0.4:0.7=4:●$

→ $0.4\times●=0.7\times4$

$0.4\times●=$ 2.8

$●=$ 2.8 $\div0.4$

$●=$ 7

2 $2:3=●:1.8$

→ $2\times1.8=3\times●$

$3\times●=\square$

$●=\square\div3$

$●=\square$

3 $\frac{3}{5}:●=18:5$

→ $\frac{3}{5}\times5=●\times18$

$●\times18=\square$

$●=\square\div18$

$●=\frac{\square}{6}$

4 $●:9=\frac{5}{9}:\frac{5}{6}$

→ $●\times\frac{5}{6}=9\times\frac{5}{9}$

$●\times\frac{5}{6}=\square$

$●=\square\div\frac{5}{6}$

$●=\square$

비례식의 성질을 이용하여 □ 안에 알맞은 수를 써넣으세요.

5 $0.4 : 0.9 = 8 : \square$

6 $9 : 17 = \square : 3.4$

7 $2.6 : \square = 13 : 17$

8 $\square : 13 = 3.8 : 2.6$

9 $\square : 5.4 = 7 : 9$

10 $8 : \square = 5.6 : 3.5$

11 $\frac{1}{3} : \frac{2}{5} = \square : 12$

12 $6 : 5 = \frac{1}{5} : \square$

13 $\frac{3}{4} : \frac{2}{5} = 30 : \square$

14 $20 : 9 = \square : \frac{3}{8}$

생활 속 연산

서울자전거 따릉이는 누구나 쉽고 편리하게 이용할 수 있는 이동수단입니다. 희연이는 따릉이로 12분 동안 $2\frac{2}{5}$ km를 갔습니다. 같은 빠르기로 한 시간 동안 몇 km를 갈 수 있는지 구하세요.

(   )

3. 비례배분

예 10을 3 : 2로 비례배분하기

전체를 주어진 비로 비례배분할 때 주어진 비의 전항과 후항의 합을 분모로 하는 분수의 비로 나타내어 계산합니다.

$$\rightarrow \begin{cases} 10\times\frac{3}{3+2}=10\times\frac{3}{5}=6 \\ 10\times\frac{2}{3+2}=10\times\frac{2}{5}=4 \end{cases}$$

비례배분은 전체를 주어진 비로 배분하는 거야.

□ 안의 수를 주어진 비로 나누려고 합니다. □ 안에 알맞은 수를 써넣으세요.

1 12 3 : 1

$$\rightarrow \begin{cases} 12\times\frac{3}{3+1}=\boxed{9} \\ 12\times\frac{\boxed{1}}{3+\boxed{1}}=\boxed{3} \end{cases}$$

2 24 5 : 3

$$\rightarrow \begin{cases} 24\times\frac{5}{5+3}=\square \\ 24\times\frac{\square}{5+\square}=\square \end{cases}$$

3 30 2 : 3

$$\rightarrow \begin{cases} 30\times\frac{2}{2+3}=\square \\ 30\times\frac{\square}{\square+3}=\square \end{cases}$$

4 42 5 : 2

$$\rightarrow \begin{cases} 42\times\frac{5}{5+2}=\square \\ 42\times\frac{\square}{\square+2}=\square \end{cases}$$

안의 수를 주어진 비로 나누어 보세요.

5 16 3 : 5

➔ (,)

6 28 4 : 3

➔ (,)

7 32 3 : 5

➔ (,)

8 40 2 : 3

➔ (,)

9 56 1 : 7

➔ (,)

10 66 4 : 7

➔ (,)

11 72 7 : 2

➔ (,)

12 84 7 : 5

➔ (,)

13 92 12 : 11

➔ (,)

14 100 3 : 2

➔ (,)

15 110 5 : 6

➔ (,)

16 120 3 : 2

➔ (,)

3. 비례배분

☐ 안의 수를 주어진 비로 나누어 보세요.

1 6　1 : 2
→ (　　　,　　　)

2 9　2 : 1
→ (　　　,　　　)

3 14　4 : 3
→ (　　　,　　　)

4 18　2 : 7
→ (　　　,　　　)

5 21　3 : 4
→ (　　　,　　　)

6 25　3 : 2
→ (　　　,　　　)

7 33　7 : 4
→ (　　　,　　　)

8 35　2 : 5
→ (　　　,　　　)

9 42　4 : 3
→ (　　　,　　　)

10 46　14 : 9
→ (　　　,　　　)

11 52　6 : 7
→ (　　　,　　　)

12 55　3 : 8
→ (　　　,　　　)

구슬을 두 주머니에 쓰인 수의 비로 각각 나누어 담으려고 합니다. 각 주머니에 몇 개씩 담아야 하는지 구하세요.

13

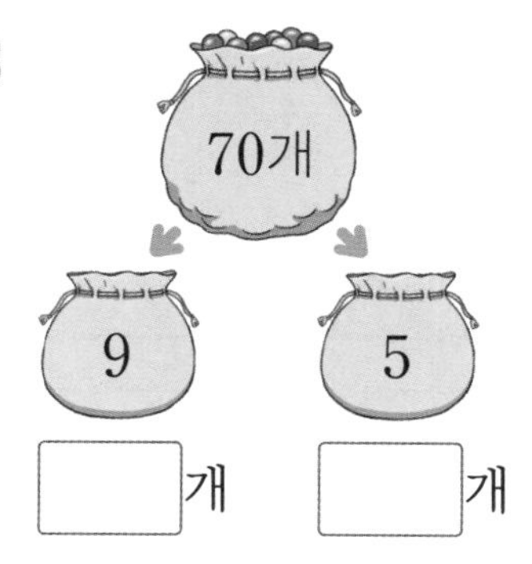

14

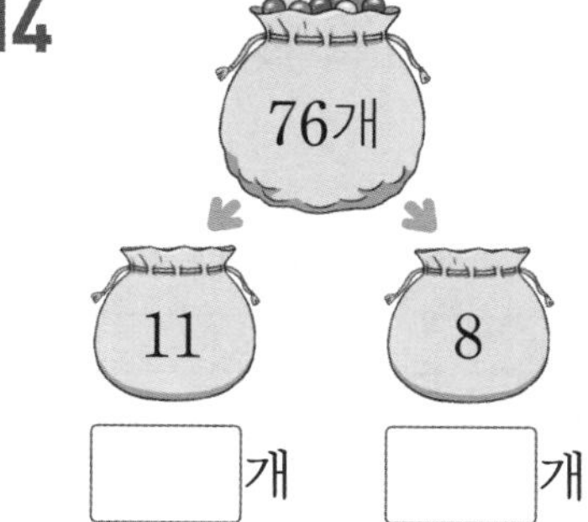

15

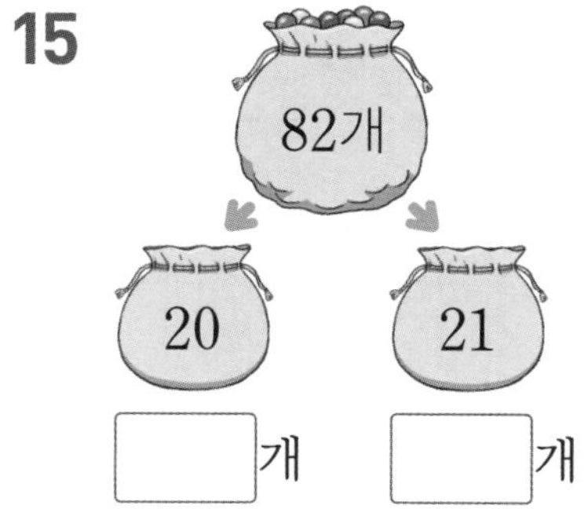

16

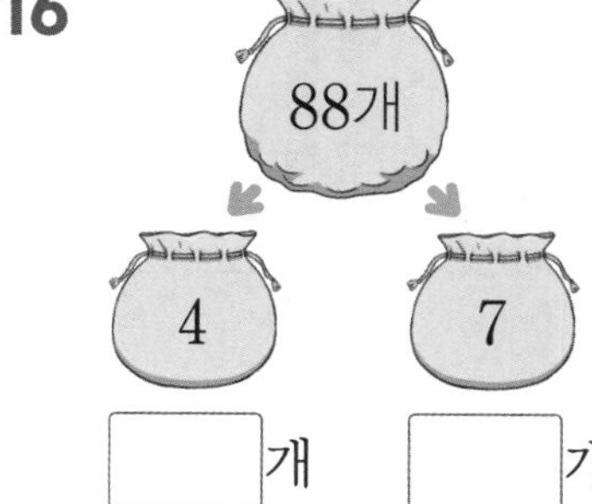

17

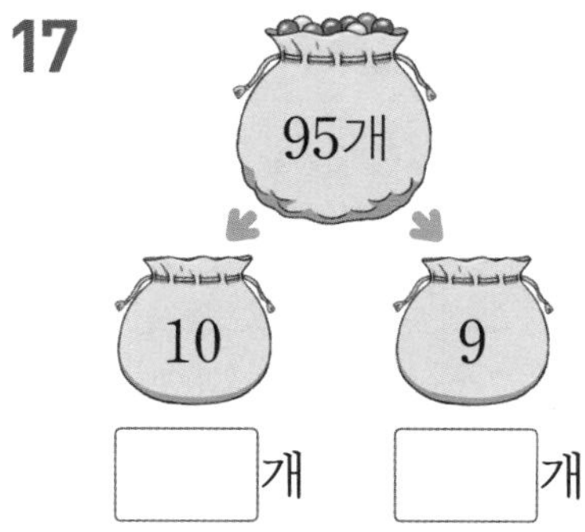

18

19

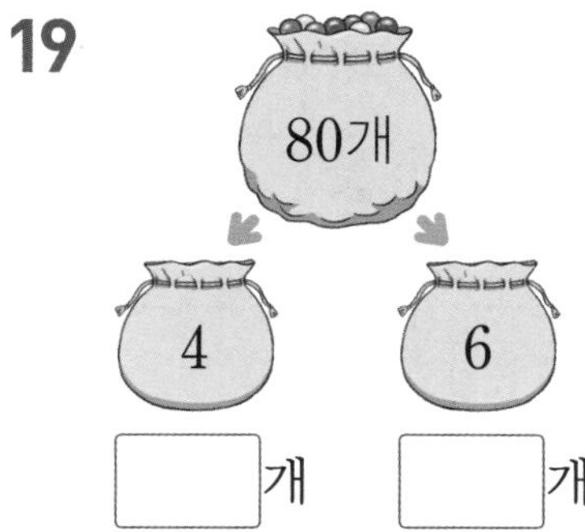

20

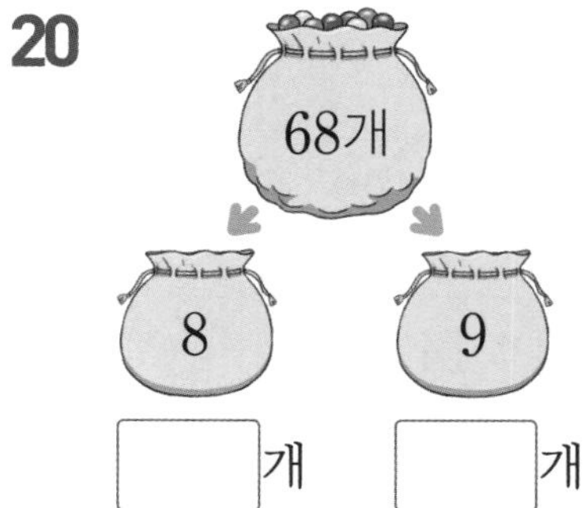

DAY 08

4단계 비례배분

3. 비례배분

수를 주어진 비로 나누어 보세요.

1 16 — 1 : 3 → 4, 12 / 5 : 3 → 10, 6

2 18 — 1 : 2 → ☐ / 4 : 5 → ☐

3 20 — 3 : 1 → ☐ / 2 : 3 → ☐

4 27 — 2 : 1 → ☐ / 7 : 2 → ☐

5 30 — 3 : 2 → ☐ / 7 : 8 → ☐

6 36 — 4 : 5 → ☐ / 5 : 7 → ☐

7 42 — 2 : 5 → ☐ / 11 : 3 → ☐

8 48 — 3 : 5 → ☐ / 5 : 7 → ☐

9 54 — 2 : 7 → ☐ / 13 : 14 → ☐

10 56 — 3 : 4 → ☐ / 5 : 3 → ☐

수를 주어진 비로 나누어 보세요.

11

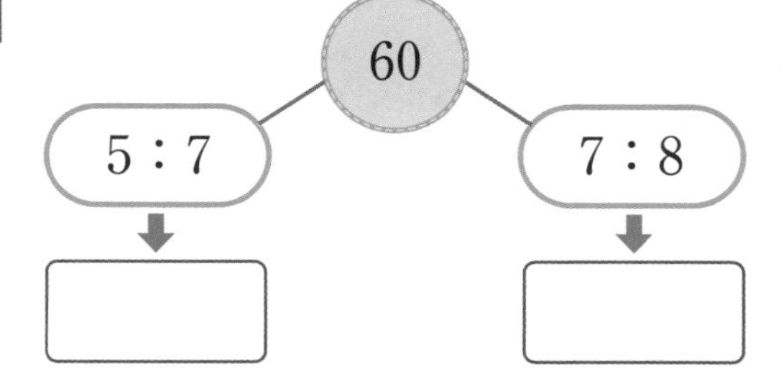

12

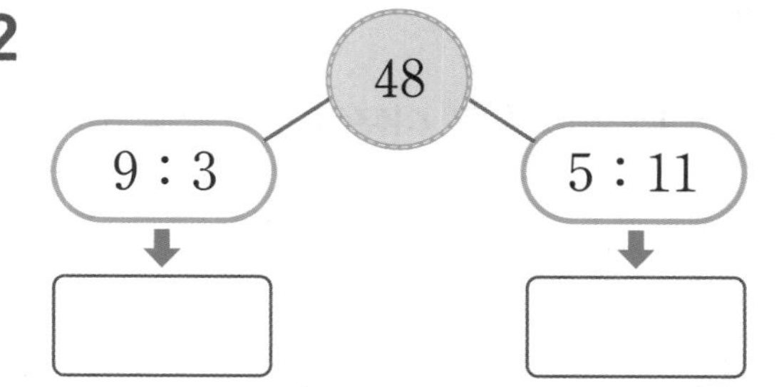

13

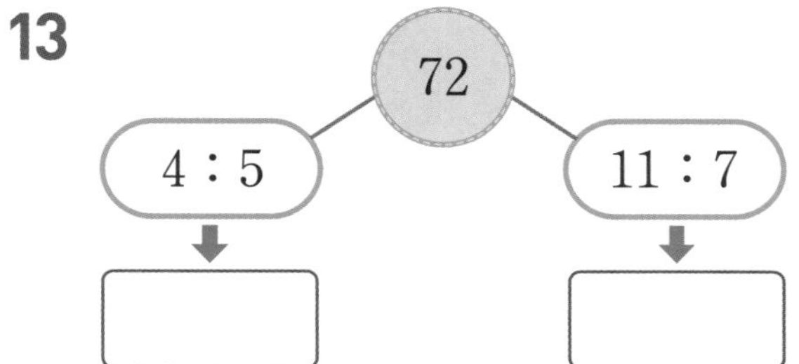

14

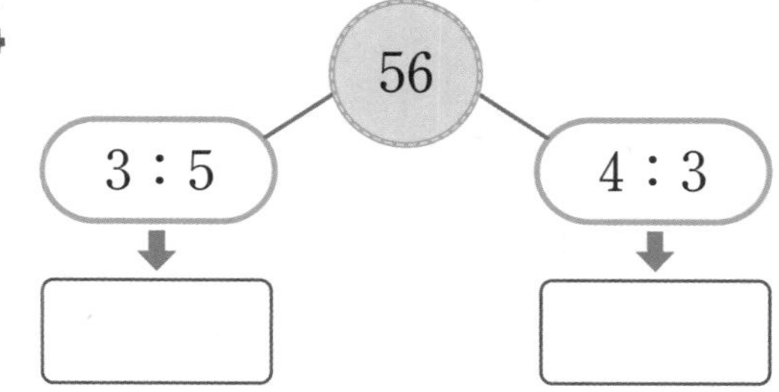

15

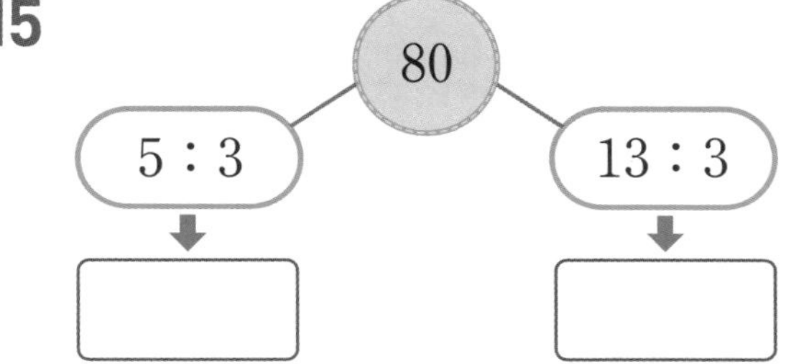

16

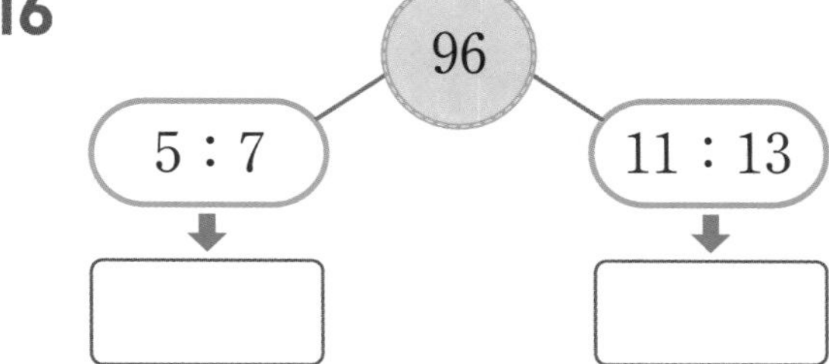

17

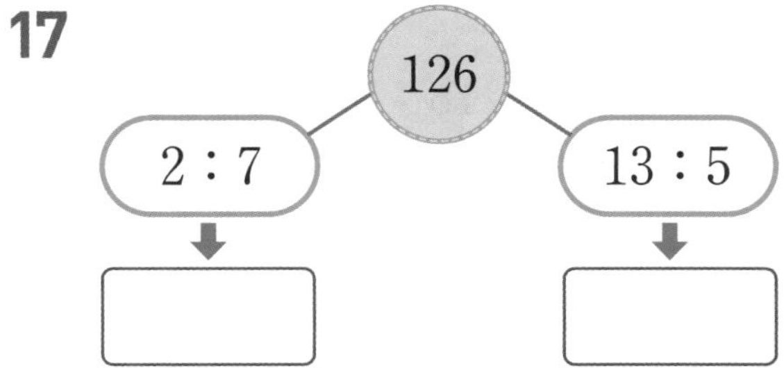

18

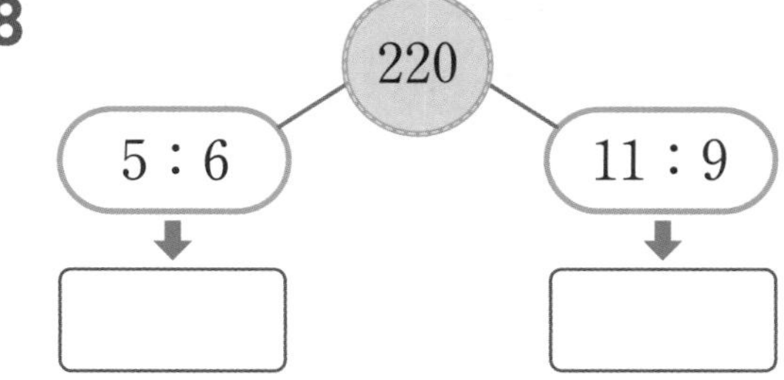

생활 속 연산

700 g의 사료를 중형견과 대형견에게 나누어 주려고 합니다. 2 : 3의 비로 나누어 준다면 사료를 각각 몇 g씩 나누어 주어야 하는지 구하세요.

중형견 (　　　　　　　　)

대형견 (　　　　　　　　)

DAY 09

4단계 비례배분

마무리 연산

비례식의 성질을 이용하여 알맞은 비례식이면 ○표, 아니면 ×표 하세요.

1 $4:5=12:15$ (　　　)

2 $6:7=18:22$ (　　　)

3 $8:3=40:14$ (　　　)

4 $7:3=28:12$ (　　　)

5 $12:13=24:26$ (　　　)

6 $14:9=42:28$ (　　　)

7 $0.5:0.4=10:7$ (　　　)

8 $0.6:0.9=18:27$ (　　　)

9 $1.6:3=4:9$ (　　　)

10 $3.6:4.4=6:7$ (　　　)

11 $\frac{1}{5}:\frac{1}{9}=9:5$ (　　　)

12 $\frac{2}{7}:\frac{3}{10}=20:3$ (　　　)

비례식의 성질을 이용하여 □ 안에 알맞은 수를 써넣으세요.

13 $3:4=12:\square$

14 $6:7=\square:21$

15 $7:\square=35:25$

16 $\square:7=36:28$

17 $\square:3=66:18$

18 $14:\square=7:5$

19 $30:35=\square:7$

20 $48:30=8:\square$

21 $49:63=7:\square$

22 $72:40=\square:5$

23 $63:\square=7:2$

24 $\square:24=9:4$

DAY 10

4단계 비례배분

마무리 연산

비례식의 성질을 이용하여 □ 안에 알맞은 수를 써넣으세요.

1 $0.5 : 0.9 = 10 : \square$

2 $8 : 19 = \square : 3.8$

3 $2.8 : \square = 14 : 17$

4 $\square : 15 = 3.9 : 4.5$

5 $\square : 6.5 = 9 : 13$

6 $9 : \square = 5.4 : 4.2$

7 $6.4 : 4.8 = \square : 3$

8 $9 : 7 = 7.2 : \square$

9 $\frac{1}{4} : \frac{3}{5} = 5 : \square$

10 $32 : 15 = \square : \frac{3}{8}$

11 $\frac{3}{7} : \square = 27 : 28$

12 $\square : 40 = \frac{5}{8} : \frac{5}{6}$

안의 수를 주어진 비로 나누어 보세요.

13 12 　 5 : 1

→ (,)

14 15 　 3 : 2

→ (,)

15 22 　 5 : 6

→ (,)

16 26 　 6 : 7

→ (,)

17 34 　 8 : 9

→ (,)

18 39 　 5 : 8

→ (,)

19 44 　 4 : 7

→ (,)

20 57 　 10 : 9

→ (,)

21 65 　 8 : 5

→ (,)

22 78 　 4 : 9

→ (,)

23 82 　 20 : 21

→ (,)

24 99 　 4 : 7

→ (,)

5

원의 넓이

학습 결과와 시간을 써 보세요!

학습 내용	학습 회차	맞힌 개수/걸린 시간
1. 원주 구하기	DAY 01	/
	DAY 02	/
	DAY 03	/
2. 지름, 반지름 구하기	DAY 04	/
	DAY 05	/
	DAY 06	/
	DAY 07	/
3. 원의 넓이 구하기	DAY 08	/
	DAY 09	/
	DAY 10	/
마무리 연산	DAY 11	/
	DAY 12	/

5단계 원의 넓이

1. 원주 구하기

● 지름을 이용하여 원주 구하기

(원주)=(지름)×(원주율)

(원주율)=(원주)÷(지름)이야. 원주율은 3, 3.1, 3.14 등으로 어림하여 사용할 수 있어.

예 지름이 6 cm일 때 원주 구하기 (원주율: 3)
(원주)=(지름)×(원주율)=6×3=18 (cm)

원주를 구하세요. (원주율: 3)

1

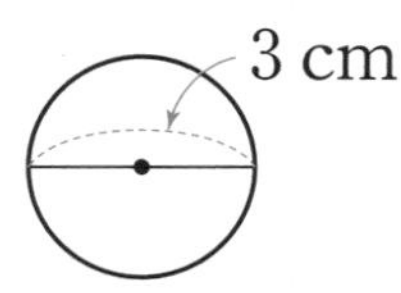

(원주)= 3 ×3= 9 (cm)

2

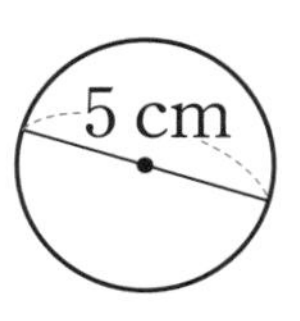

(원주)=□×3=□ (cm)

3

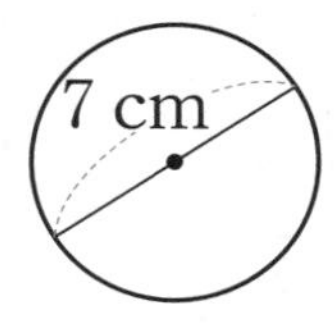

(원주)=□×3=□ (cm)

4

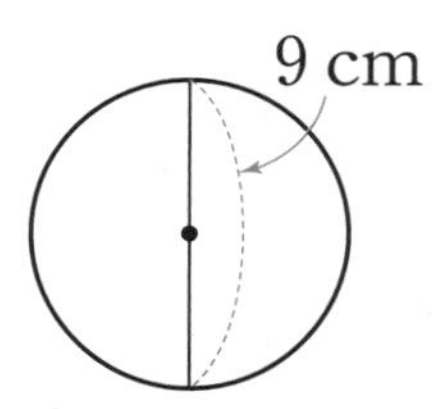

(원주)=□×3=□ (cm)

5

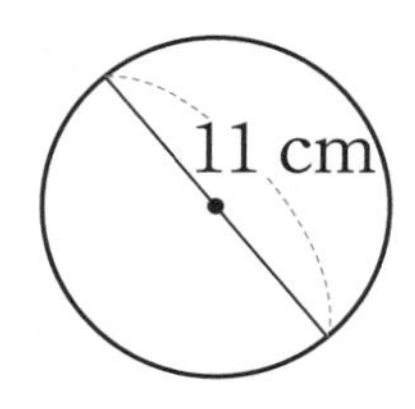

(원주)=□×□=□ (cm)

6

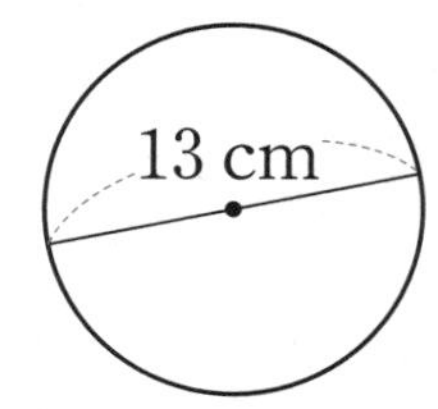

(원주)=□×□=□ (cm)

원주를 구하세요. (원주율: 3.1)

7

2 cm

( ) cm

8

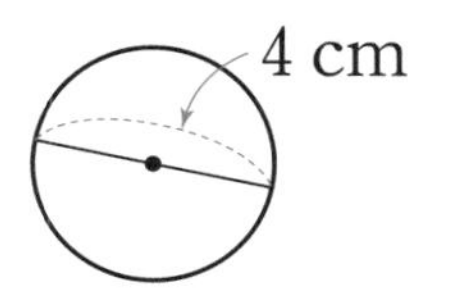

( ) cm

9

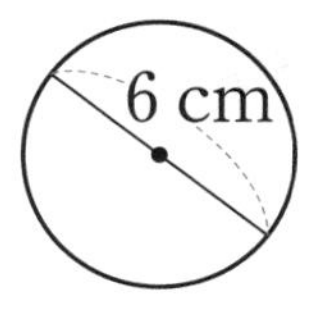

( ) cm

10

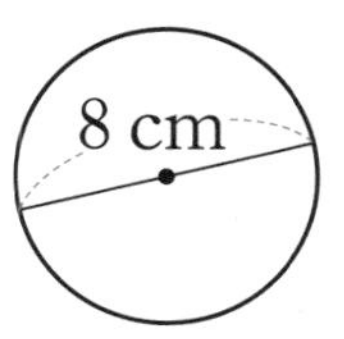

( ) cm

11

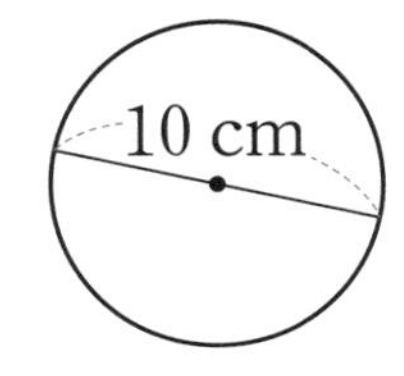

( ) cm

12

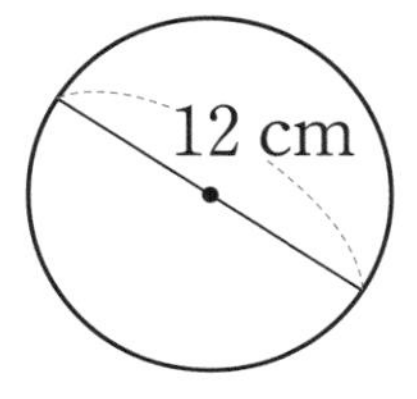

( ) cm

13

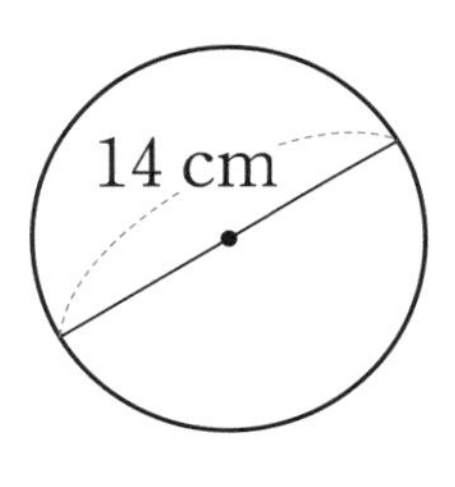

( ) cm

14

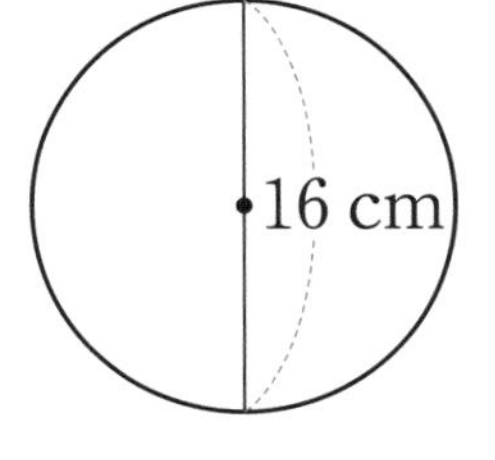

( ) cm

15

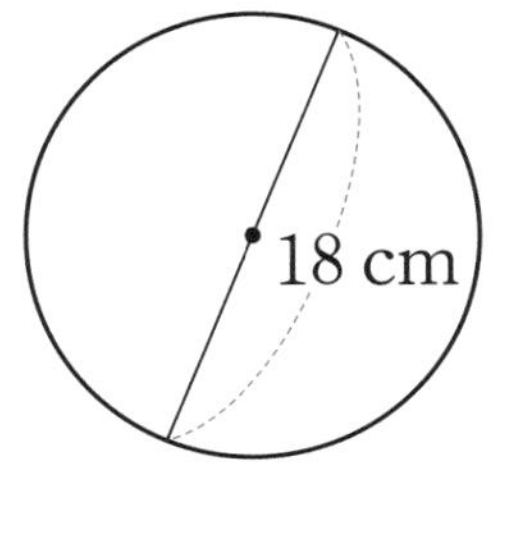

( ) cm

16

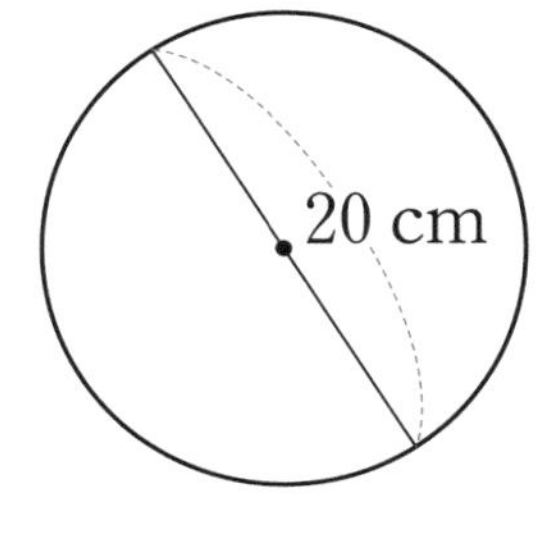

( ) cm

1. 원주 구하기

● 반지름을 이용하여 원주 구하기

(원주)=(반지름)×2×(원주율)

예 반지름이 3 cm일 때 원주 구하기 (원주율: 3)
(원주)=(반지름)×2×(원주율)
=3×2×3=18 (cm)

원주를 구하세요. (원주율: 3)

1

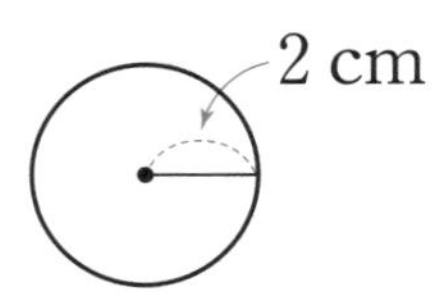

(원주)=[2]×2×3=[12] (cm)

2

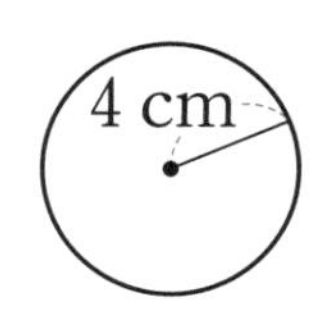

(원주)=[ ]×2×3=[ ] (cm)

3

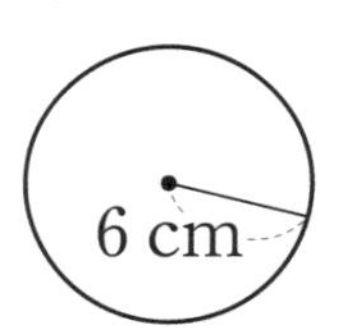

(원주)=[ ]×[ ]×3=[ ] (cm)

4

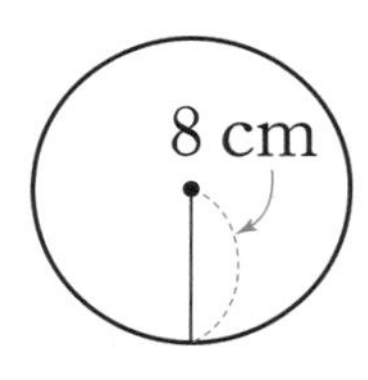

(원주)=[ ]×[ ]×3=[ ] (cm)

5

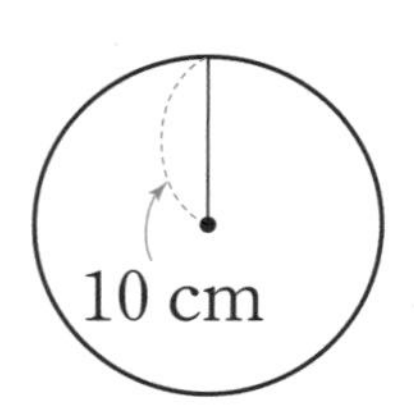

(원주)=[ ]×[ ]×[ ]=[ ] (cm)

6

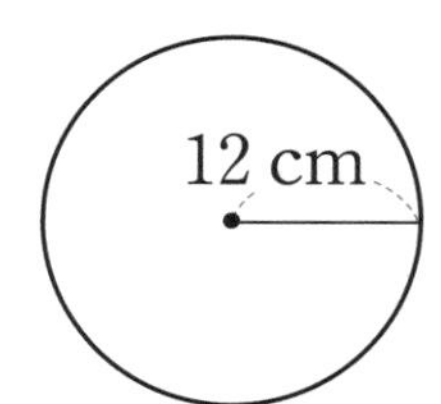

(원주)=[ ]×[ ]×[ ]=[ ] (cm)

원주를 구하세요. (원주율: 3.1)

7

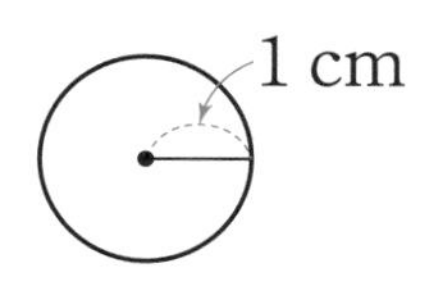

(　　　　　　　　) cm

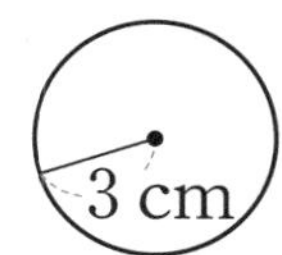

(　　　　　　　　) cm

9

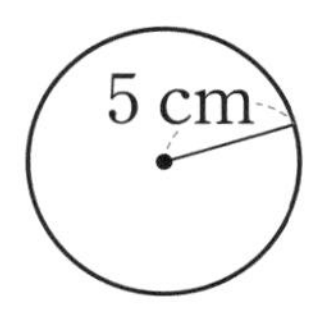

(　　　　　　　　) cm

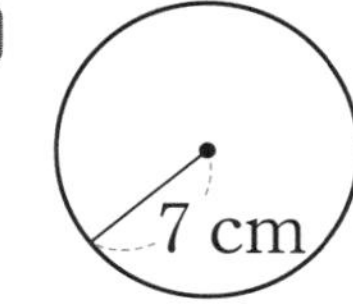

(　　　　　　　　) cm

11

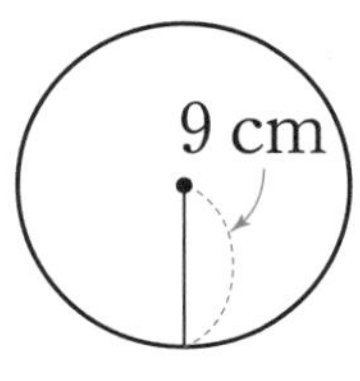

(　　　　　　　　) cm

12

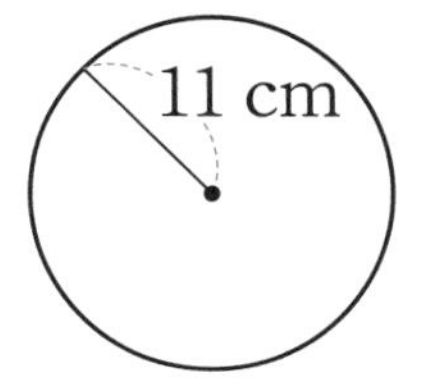

(　　　　　　　　) 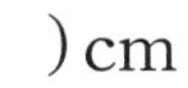

13

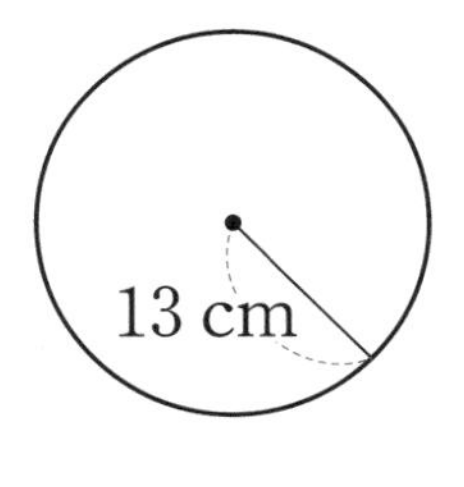

(　　　　　　　　) cm

14

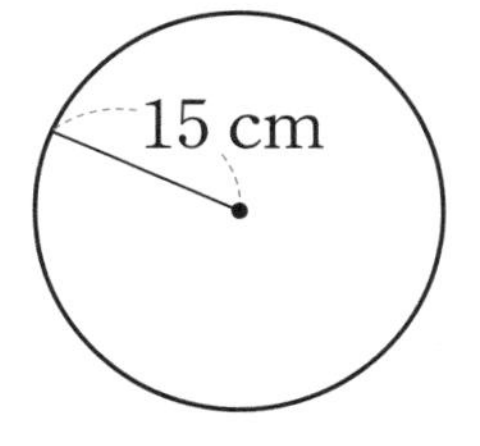

(　　　　　　　　) 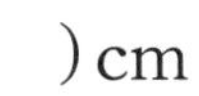

15

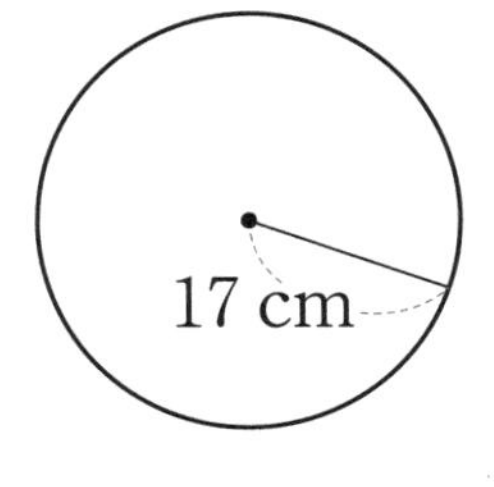

(　　　　　　　　) cm

16

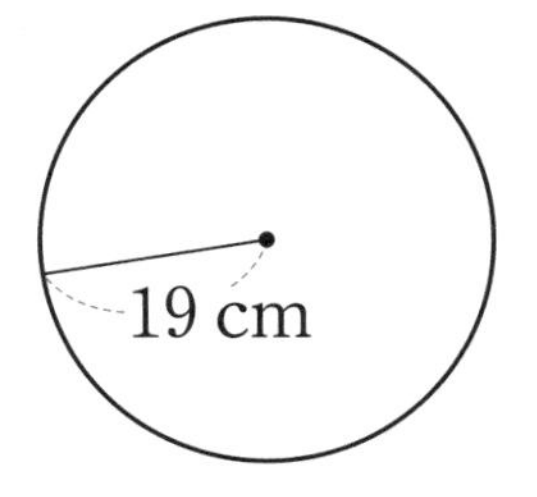

(　　　　　　　　) cm

DAY 03

5단계 원의 넓이

1. 원주 구하기

원주를 구하세요. (원주율: 3)

1
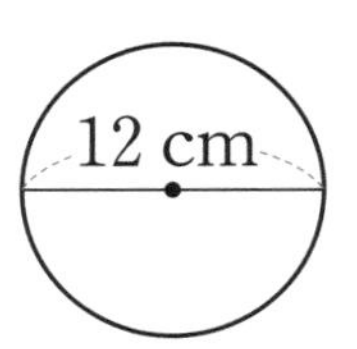

( ) cm

2
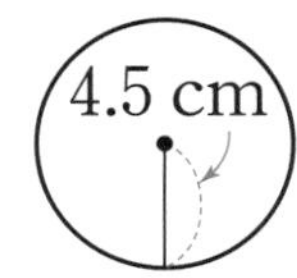

( ) cm

3
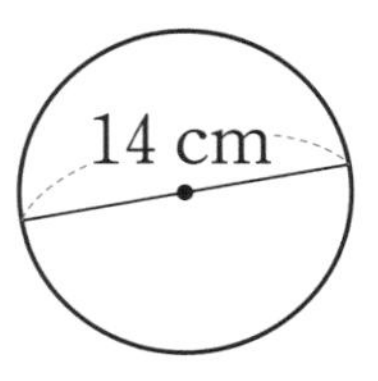

( ) cm

4
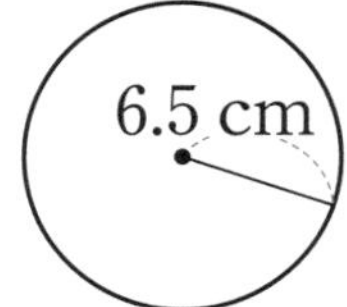

( ) cm

5
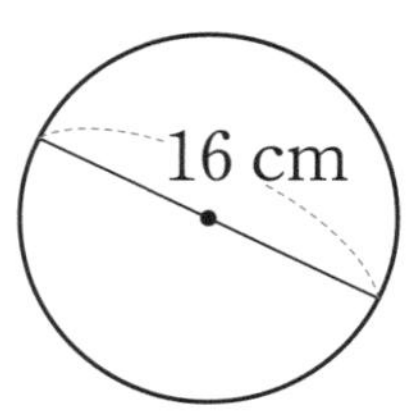

( ) cm

6
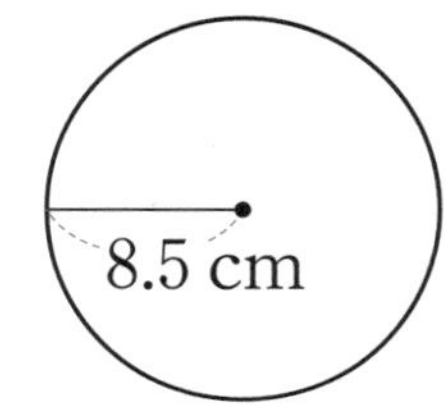

( ) cm

7
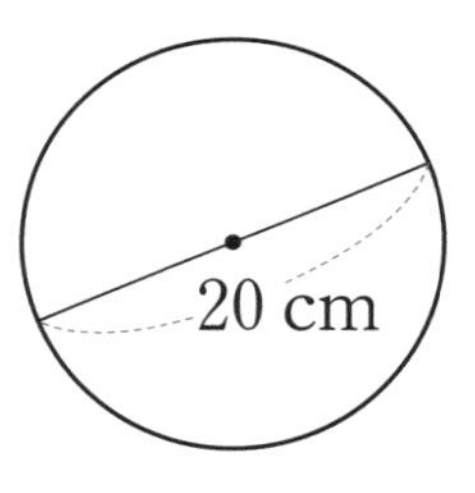

( ) cm

8
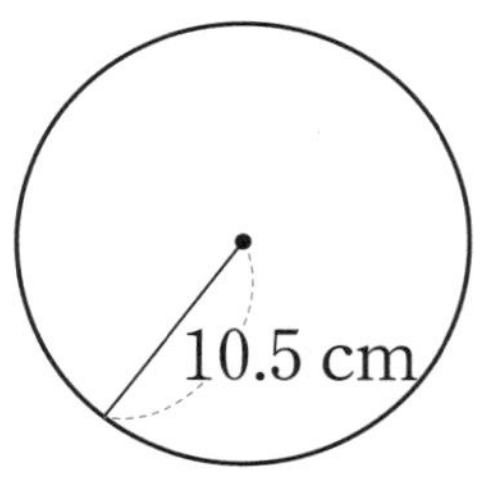

( ) cm

9
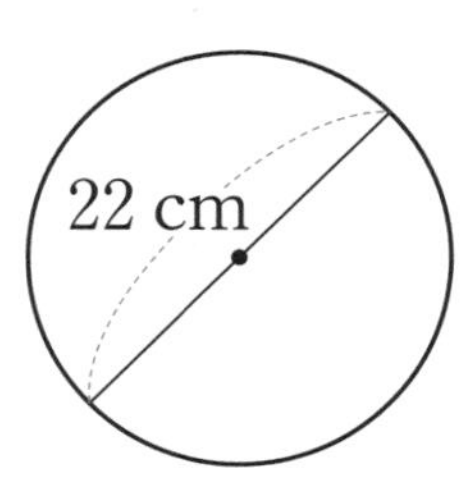

( ) cm

10
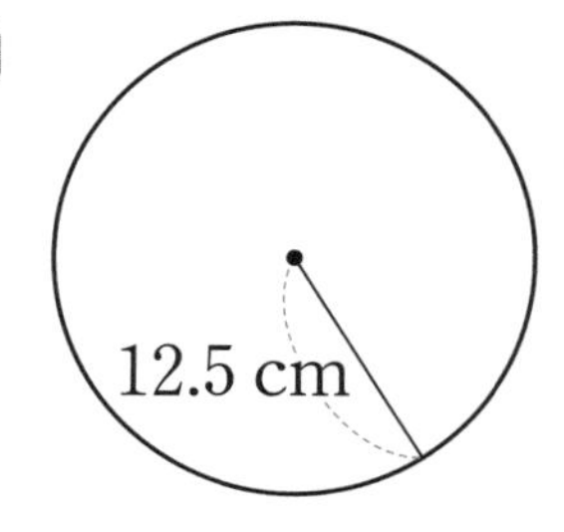

( ) cm

다양한 원 모양 물건의 원주를 구하세요. (원주율: 3.14)

11 2 cm 사탕

( ) cm

12 3 cm 과자

( ) cm

13 4 cm 도넛

( ) cm

14 5 cm 쌀과자

( ) cm

15 24 cm 수박

( ) cm

16 28 cm 원반

( ) cm

17 30 cm 시계

( ) cm

18 45 cm 피자

( ) cm

생활 속 연산

서윤이는 반지름이 13 cm인 원 모양의 접시를 이용하여 원을 그렸습니다. 그린 원의 원주는 몇 cm인지 구하세요.
(원주율: 3)

( )

2. 지름, 반지름 구하기

● 원주를 이용하여 지름 구하기

(원주)=(지름)×(원주율)
➔ (지름)=(원주)÷(원주율)

예 원주가 18 cm일 때 지름 구하기 (원주율: 3)
(지름)=(원주)÷(원주율)=18÷3=6 (cm)

원의 지름을 구하세요. (원주율: 3)

1 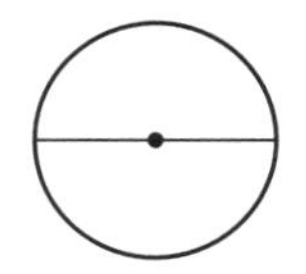

원주: 15 cm

(지름)= 15 ÷3= 5 (cm)

2 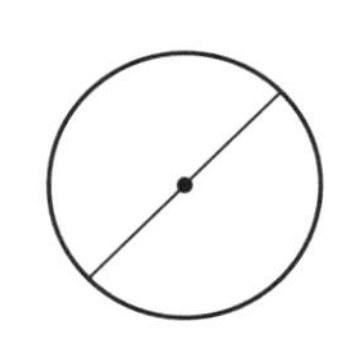

원주: 21 cm

(지름)=□÷3=□(cm)

3 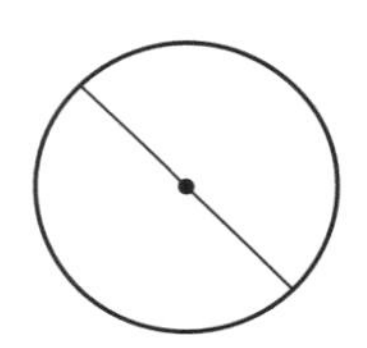

원주: 27 cm

(지름)=□÷3=□(cm)

4 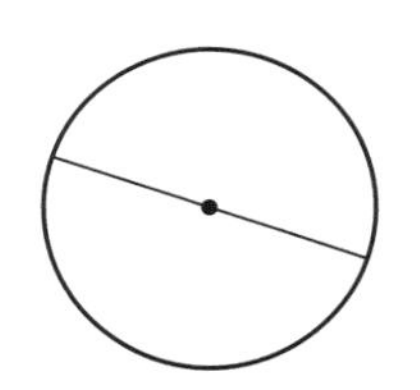

원주: 33 cm

(지름)=□÷3=□(cm)

5 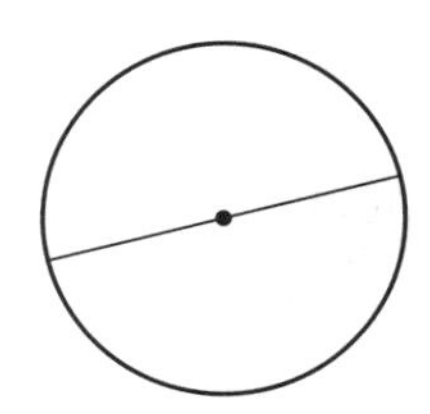

원주: 39 cm

(지름)=□÷□=□(cm)

6 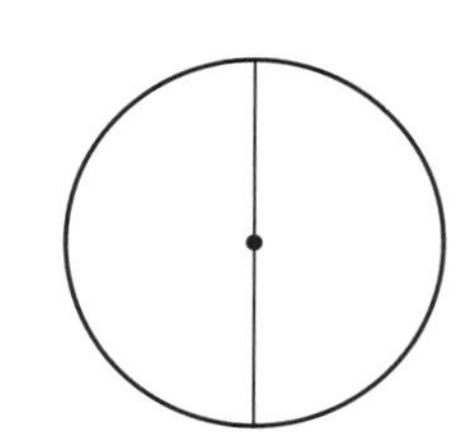

원주: 42 cm

(지름)=□÷□=□(cm)

원의 지름을 구하세요. (원주율: 3.1)

7 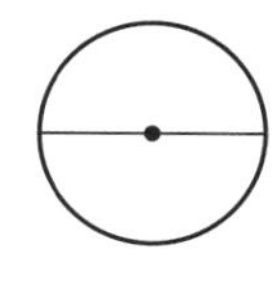

원주: 12.4 cm

( ) cm

8 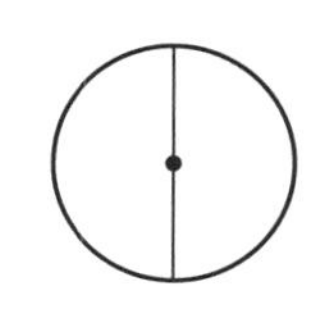

원주: 15.5 cm

( ) cm

9 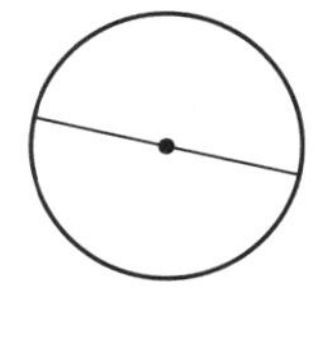

원주: 21.7 cm

( ) cm

10 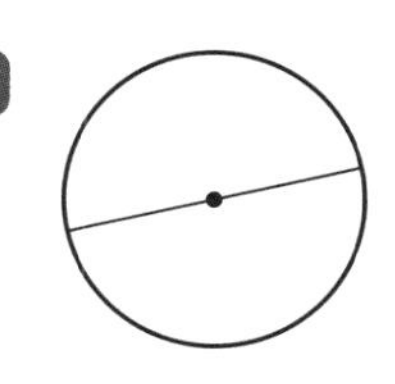

원주: 24.8 cm

( ) cm

11 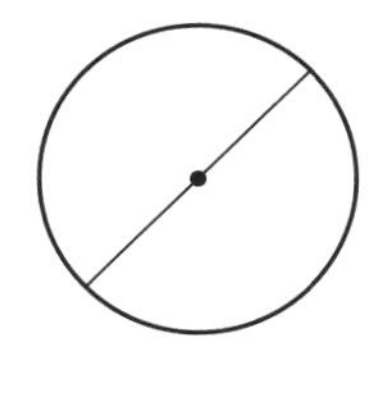

원주: 31 cm

( ) cm

12 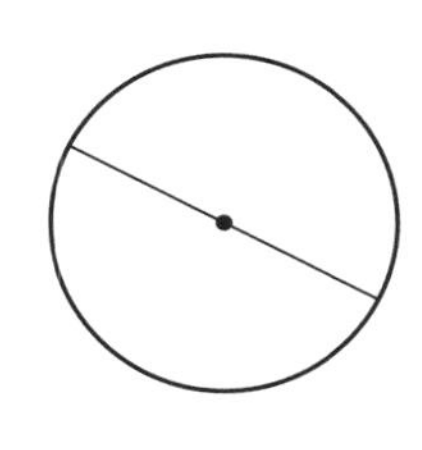

원주: 40.3 cm

( ) cm

13 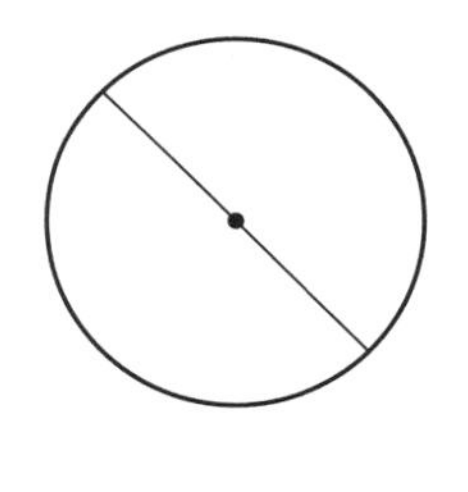

원주: 52.7 cm

( ) cm

14 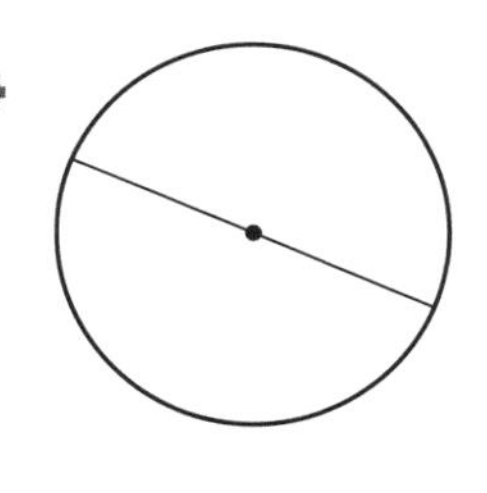

원주: 62 cm

( ) cm

15 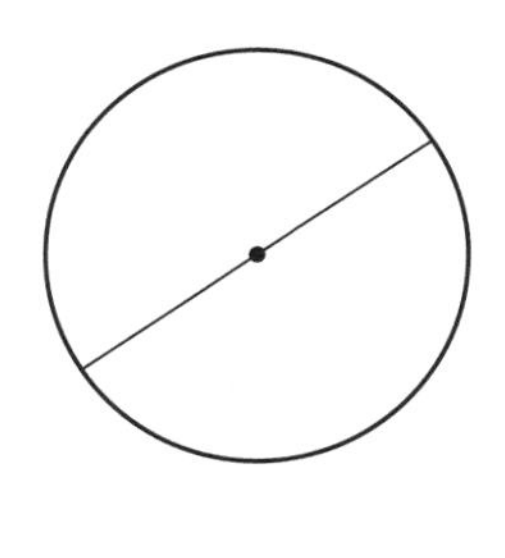

원주: 71.3 cm

( ) cm

16 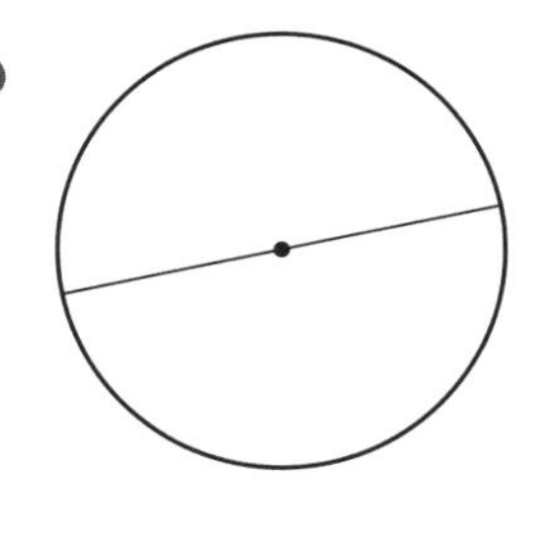

원주: 83.7 cm

( ) cm

2. 지름, 반지름 구하기

원의 지름을 구하세요. (원주율: 3)

1
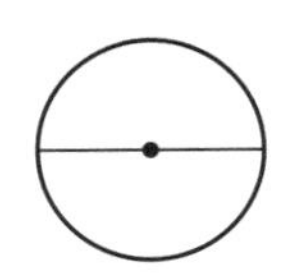
원주: 12 cm

(　　　　　　　) cm

2
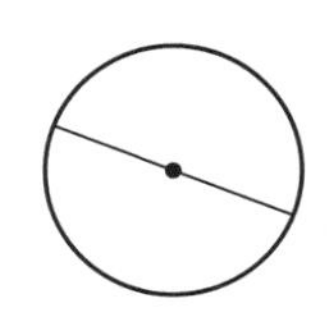
원주: 18 cm

(　　　　　　　) cm

3
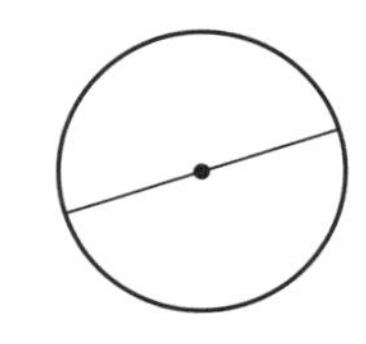
원주: 24 cm

(　　　　　　　) cm

4
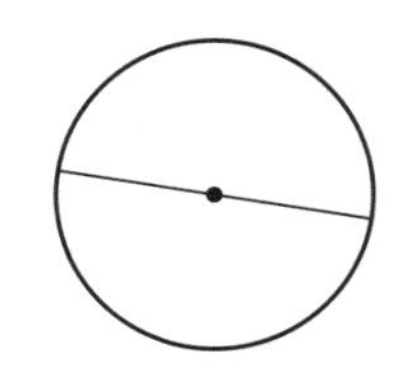
원주: 30 cm

(　　　　　　　) cm

5
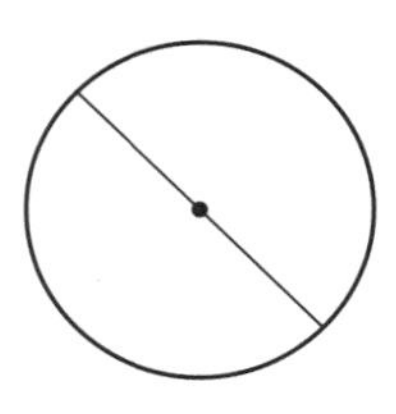
원주: 36 cm

(　　　　　　　) cm

6
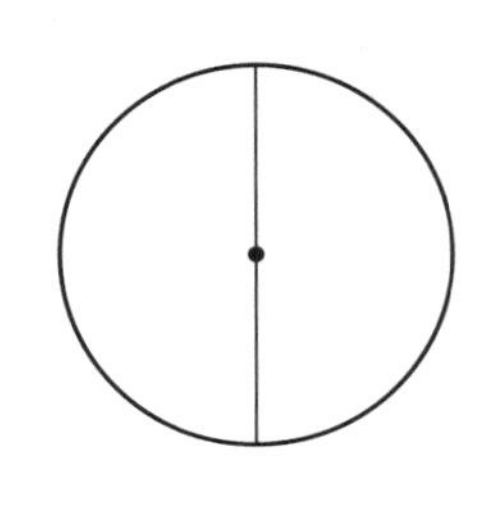
원주: 45 cm

(　　　　　　　) cm

7
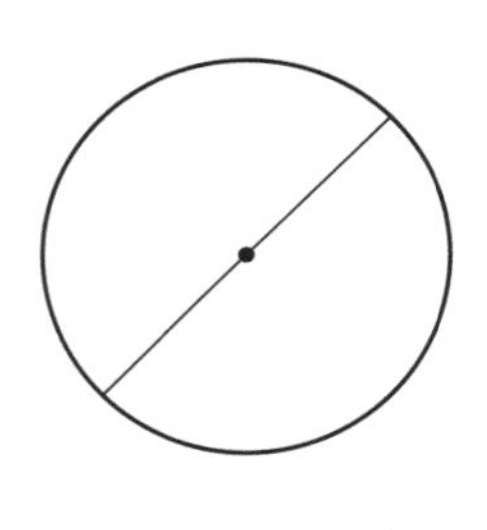
원주: 60 cm

(　　　　　　　) cm

8
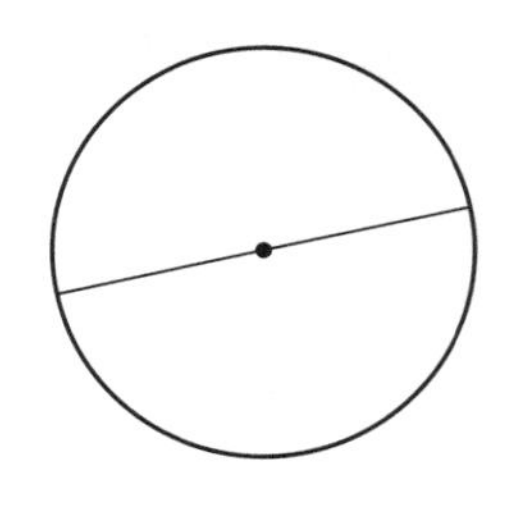
원주: 66 cm

(　　　　　　　) cm

9
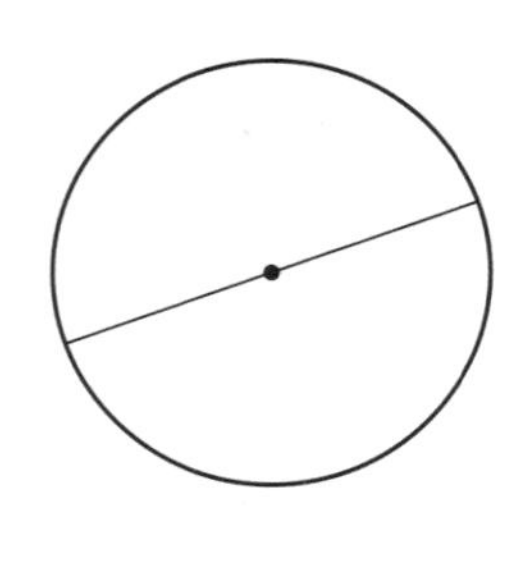
원주: 75 cm

(　　　　　　　) cm

10
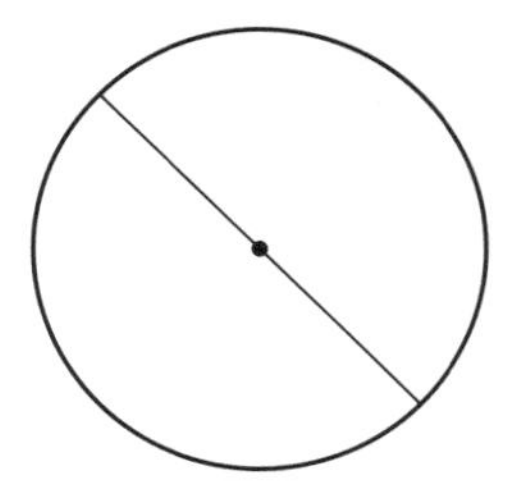
원주: 90 cm

(　　　　　　　) cm

원의 지름을 구하세요. (원주율: 3.14)

11

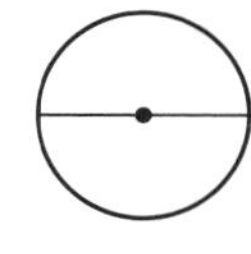

원주: 9.42 cm

(   ) cm

12

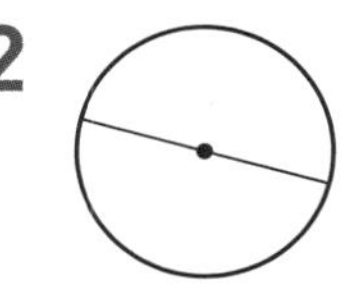

원주: 18.84 cm

(   ) cm

13

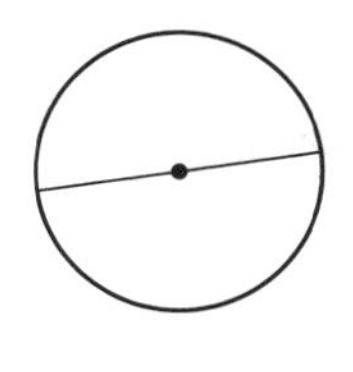

원주: 21.98 cm

(   ) cm

14

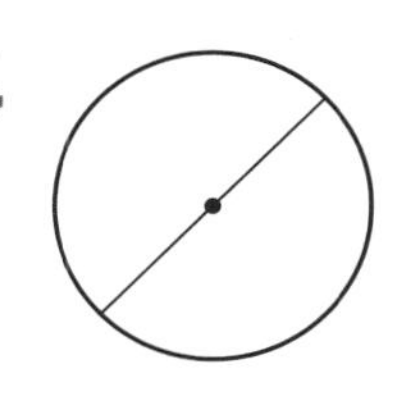

원주: 31.4 cm

(   ) cm

15

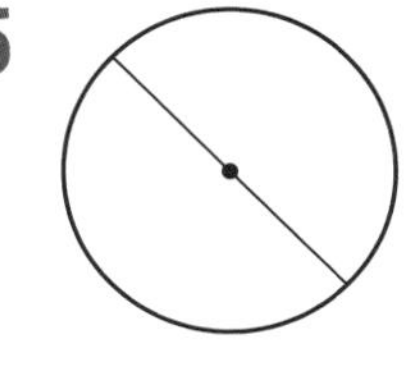

원주: 37.68 cm

(   ) cm

16

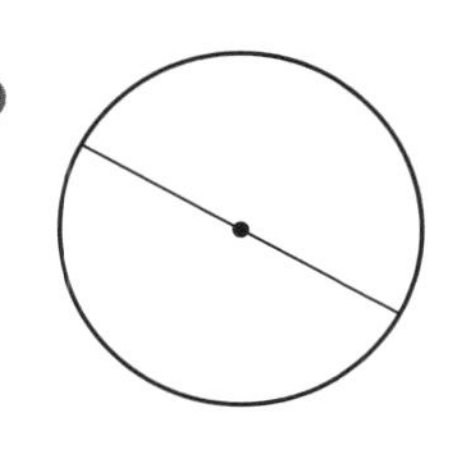

원주: 47.1 cm

(   ) cm

17

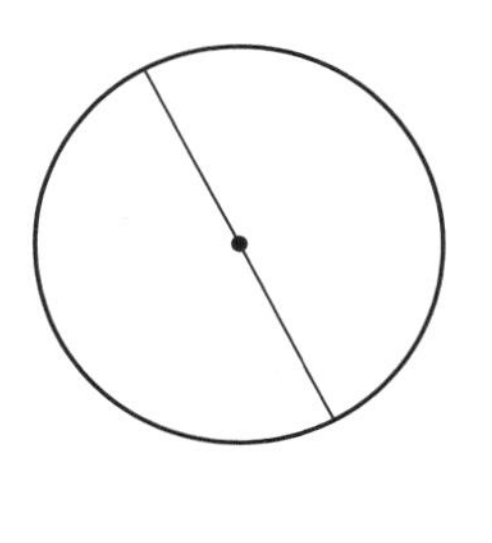

원주: 62.8 cm

(   ) cm

18

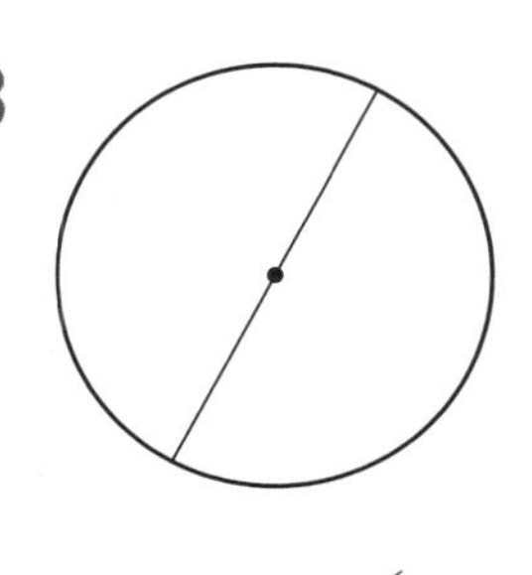

원주: 78.5 cm

(   ) cm

19

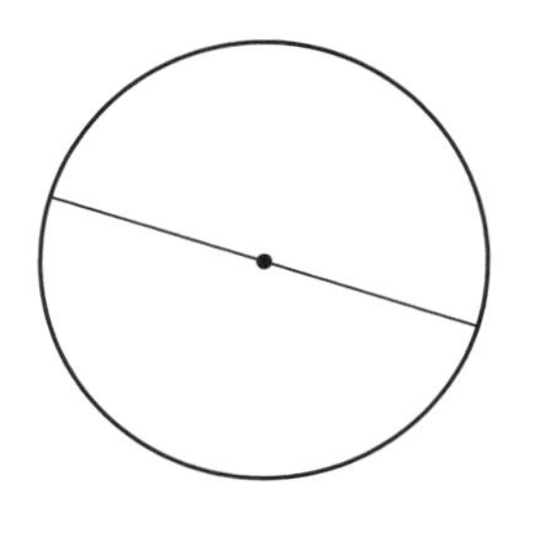

원주: 84.78 cm

(   ) cm

20

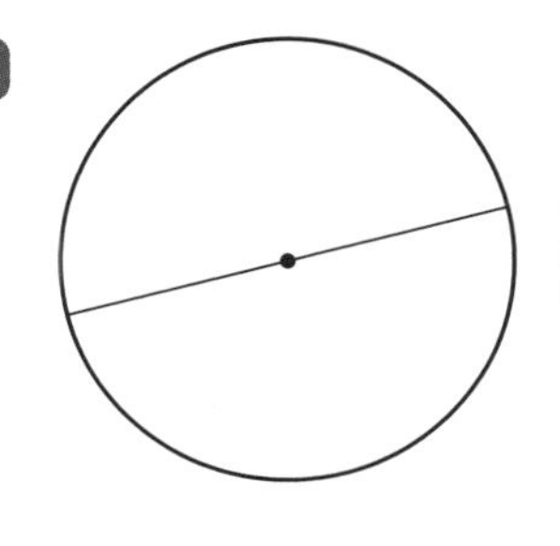

원주: 94.2 cm

(   ) cm

2. 지름, 반지름 구하기

● **원주를 이용하여 반지름 구하기**

(원주)=(지름)×(원주율)
➔ (지름)=(원주)÷(원주율)
➔ (반지름)=(원주)÷(원주율)÷2
(└▸ 지름: (원주)÷(원주율))

원주를 알 때
원주율을 이용하여
반지름을 구할 수 있어.

예 원주가 18 cm일 때 반지름 구하기 (원주율: 3)
(반지름)=(원주)÷(원주율)÷2=18÷3÷2=3 (cm)

원의 반지름을 구하세요. (원주율: 3)

1

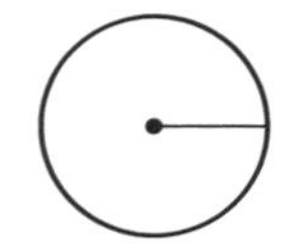

원주: 12 cm

(반지름)= 12 ÷3÷2= 2 (cm)

2

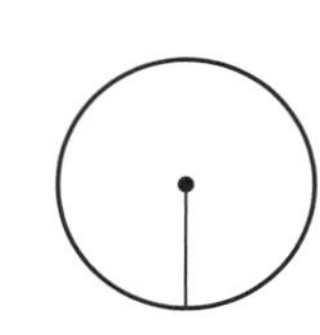

원주: 30 cm

(반지름)= ☐ ÷3÷2= ☐ (cm)

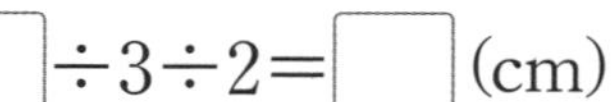

3

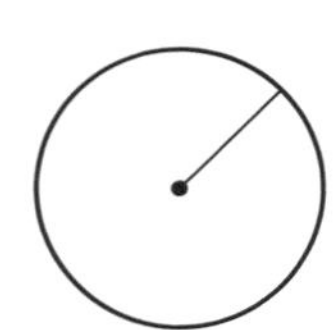

원주: 42 cm

(반지름)= ☐ ÷3÷2= ☐ (cm)

4

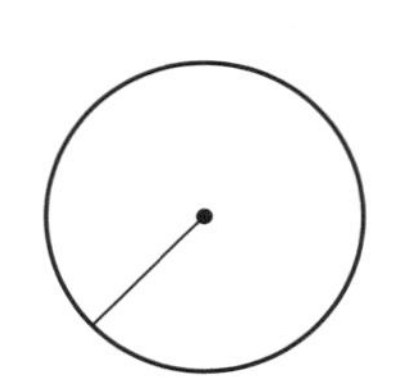

원주: 54 cm

(반지름)= ☐ ÷3÷2= ☐ (cm)

5

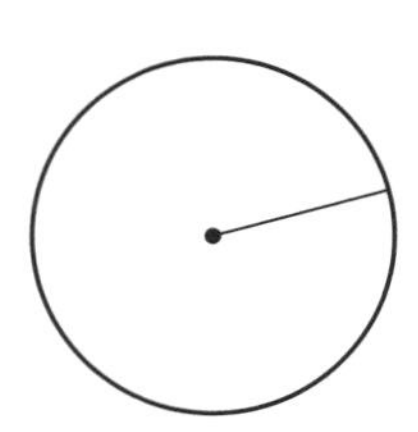

원주: 84 cm

(반지름)= ☐ ÷ ☐ ÷2= ☐ (cm)

6

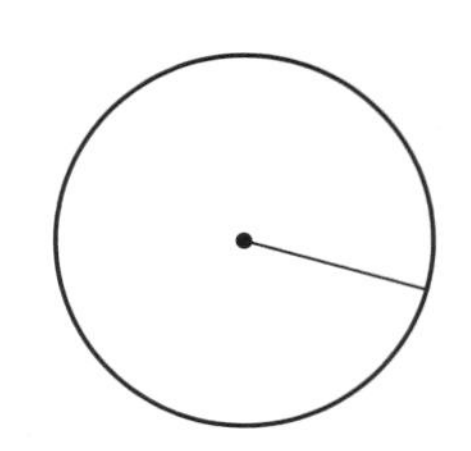

원주: 90 cm

(반지름)= ☐ ÷ ☐ ÷2= ☐ (cm)

원의 반지름을 구하세요. (원주율: 3.1)

7

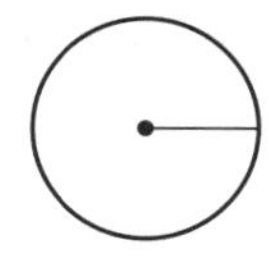

원주: 12.4 cm

( ) cm

8

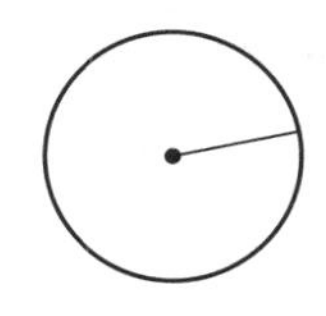

원주: 24.8 cm

( ) cm

9

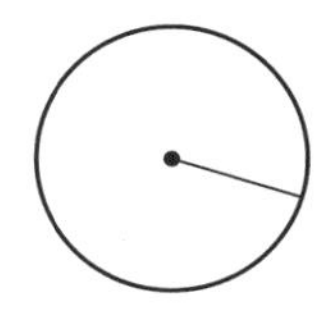

원주: 31 cm

( ) cm

10

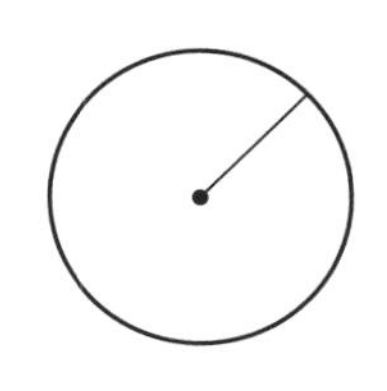

원주: 43.4 cm

( ) cm

11

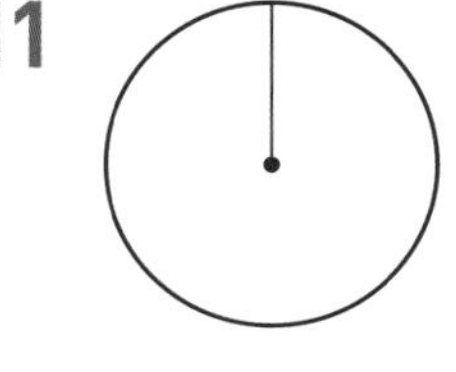

원주: 55.8 cm

( ) cm

12

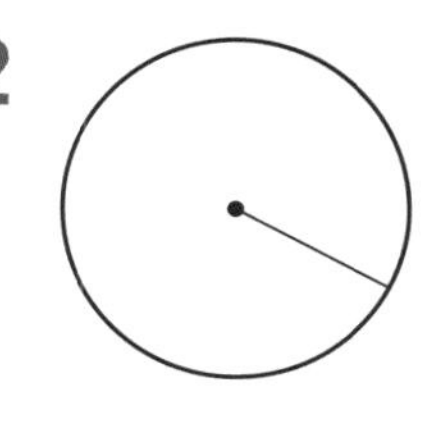

원주: 62 cm

( ) cm

13

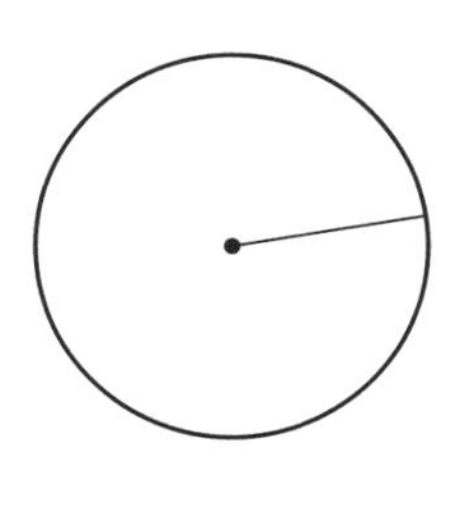

원주: 74.4 cm

( ) cm

14

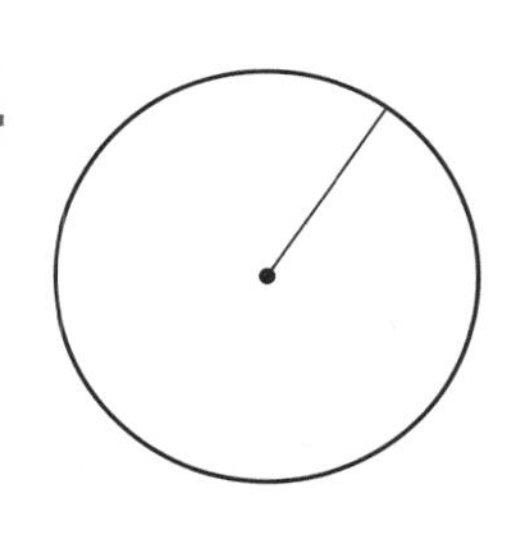

원주: 93 cm

( ) cm

15

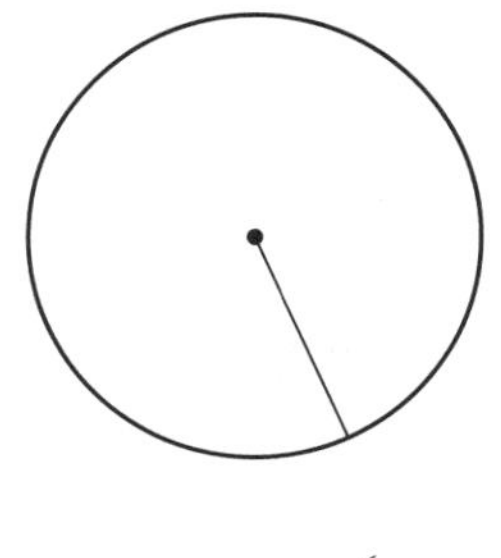

원주: 105.4 cm

( ) cm

16

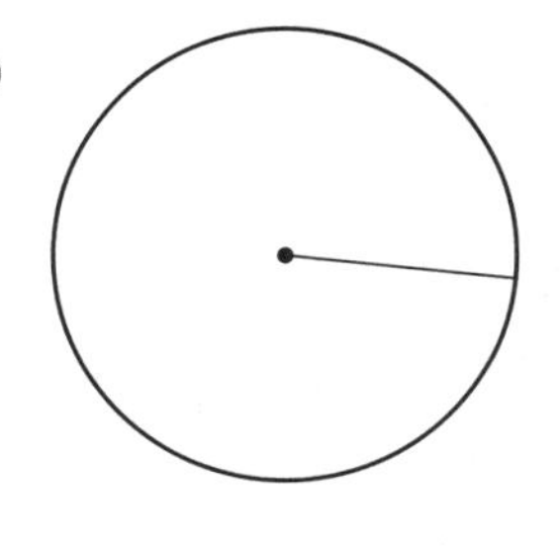

원주: 124 cm

( ) cm

2. 지름, 반지름 구하기

원의 반지름을 구하세요. (원주율: 3)

1

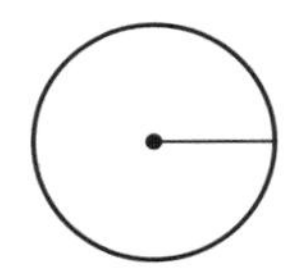

원주: 24 cm

(　　　　　　　　) cm

2

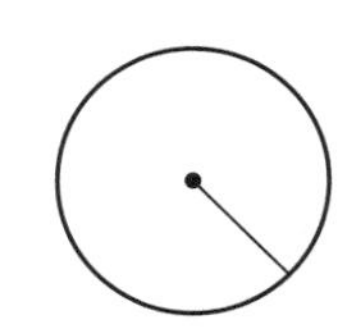

원주: 36 cm

(　　　　　　　　) cm

3

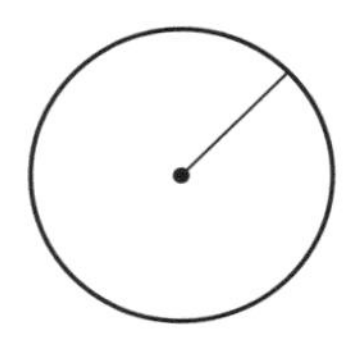

원주: 48 cm

(　　　　　　　　) cm

4

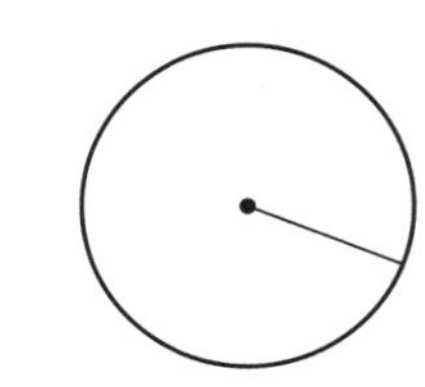

원주: 66 cm

(　　　　　　　　) cm

5

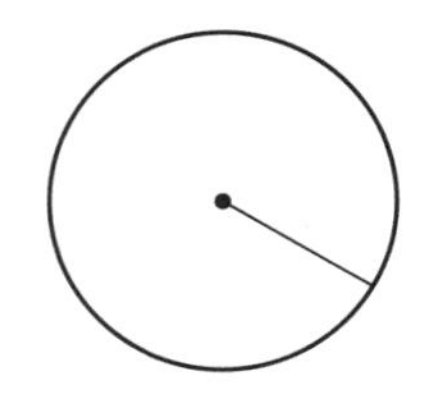

원주: 78 cm

(　　　　　　　　) cm

6

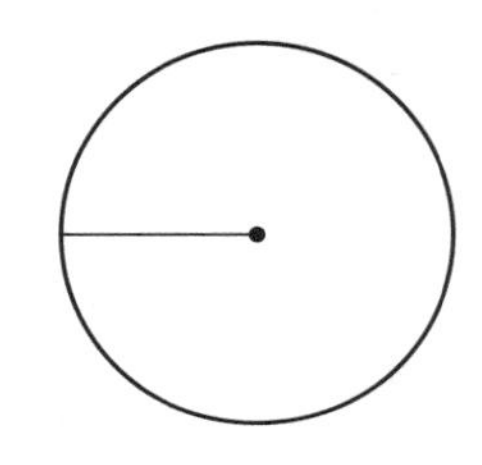

원주: 96 cm

(　　　　　　　　) cm

7

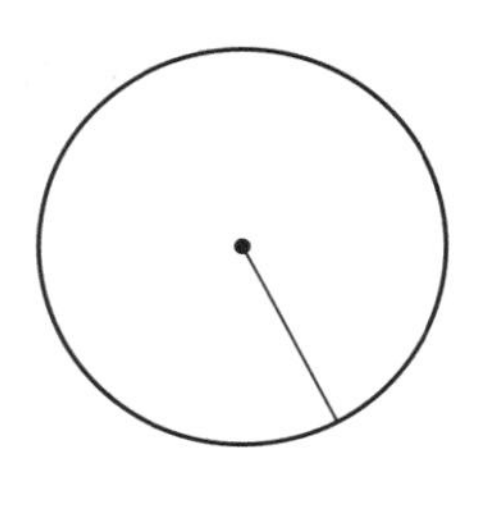

원주: 120 cm

(　　　　　　　　) cm

8

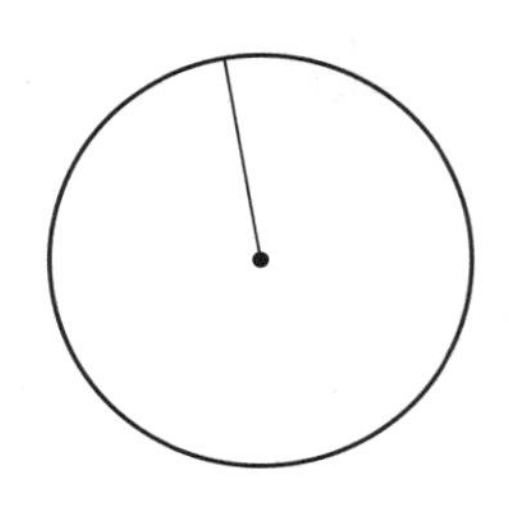

원주: 138 cm

(　　　　　　　　) cm

9

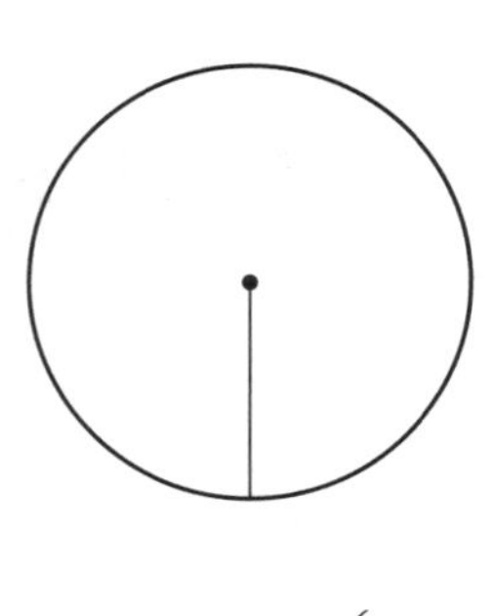

원주: 156 cm

(　　　　　　　　) cm

10

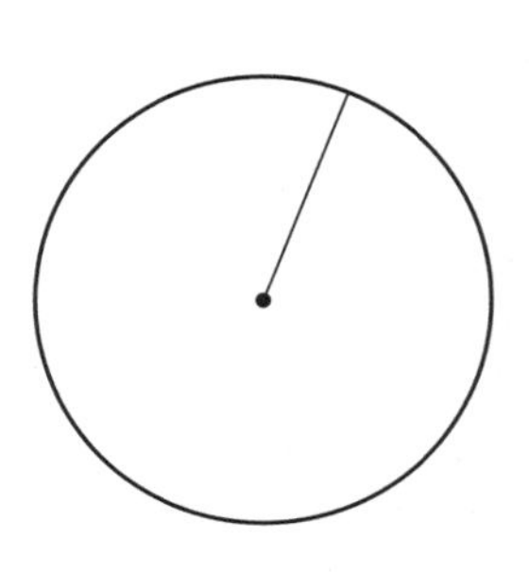

원주: 180 cm

(　　　　　　　　) cm

원의 반지름을 구하세요. (원주율: 3.14)

11

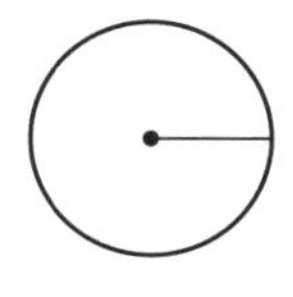

원주: 12.56 cm

( ) cm

12

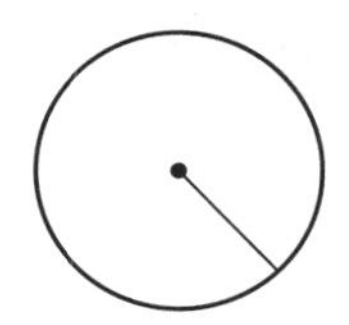

원주: 37.68 cm

( ) cm

13

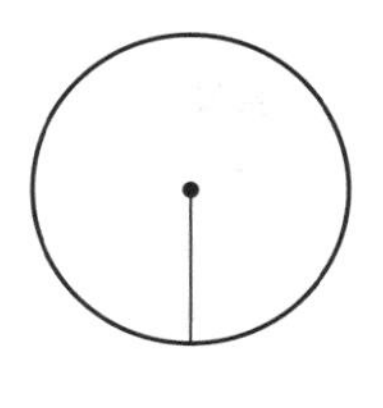

원주: 50.24 cm

( ) cm

14

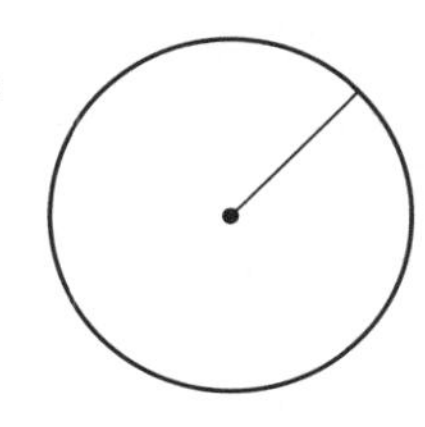

원주: 62.8 cm

( ) cm

15

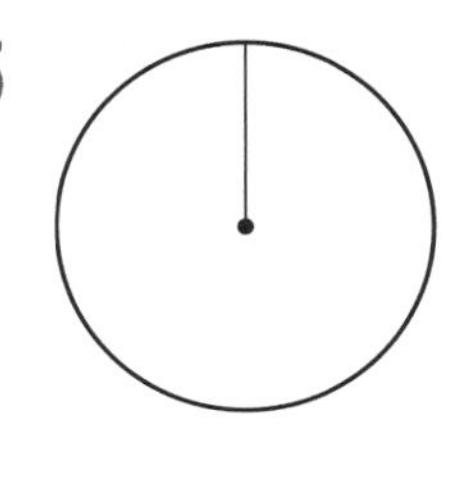

원주: 69.08 cm

( ) cm

16

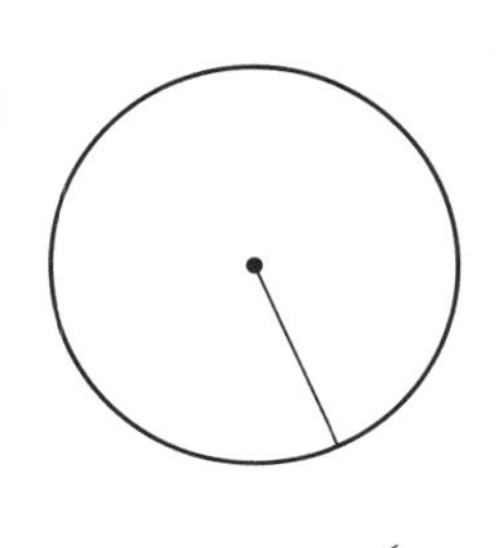

원주: 81.64 cm

( ) cm

17

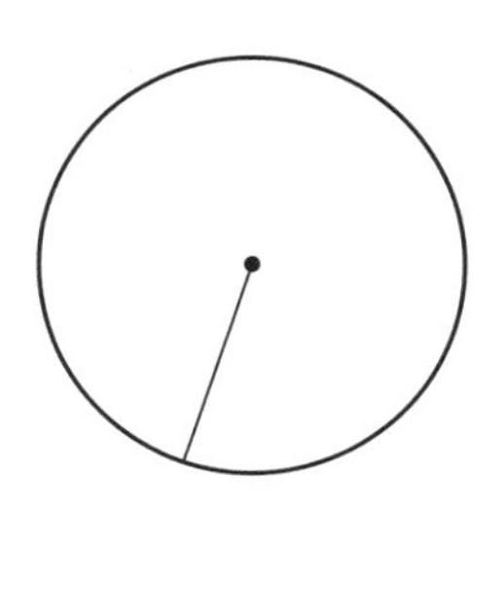

원주: 94.2 cm

( ) cm

18

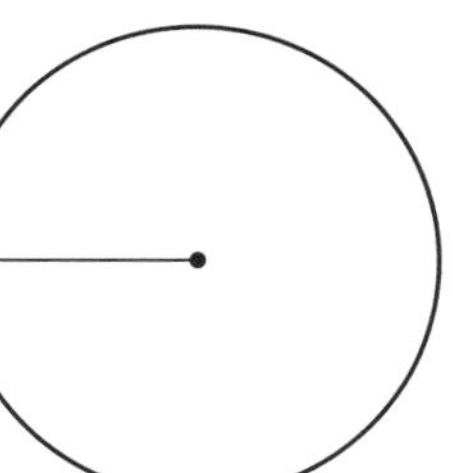

원주: 125.6 cm

( ) cm

생활 속 연산

민우는 원 모양의 피자를 엄마와 함께 만들었습니다. 피자의 원주가 102 cm일 때 피자의 반지름은 몇 cm인지 구하세요. (원주율: 3)

( )

3. 원의 넓이 구하기

● **원의 넓이 구하기**

(원의 넓이)=(반지름)×(반지름)×(원주율)

반지름이 길어지면 원의 넓이도 커져.

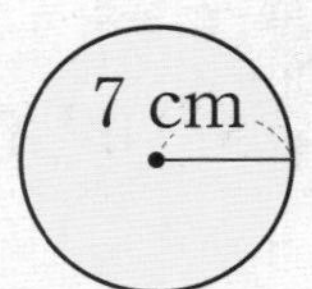

예 반지름이 7 cm일 때 원의 넓이 구하기 (원주율: 3)

(원의 넓이)=(반지름)×(반지름)×(원주율)

$=7\times7\times3=147$ (cm^2)

원의 넓이를 구하세요. (원주율: 3)

1

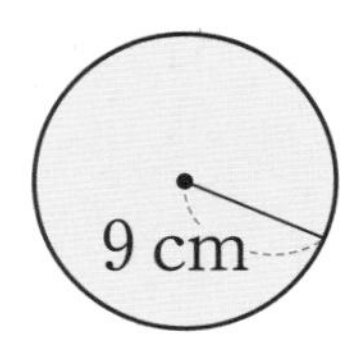

(원의 넓이)

=[9]×[9]×3=[243] (cm^2)

2

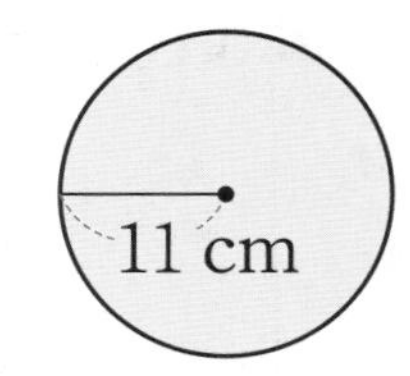

(원의 넓이)

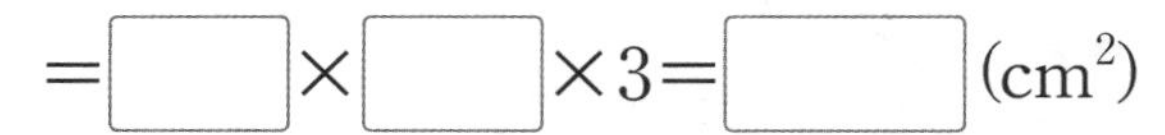
=□×□×3=□ (cm^2)

3

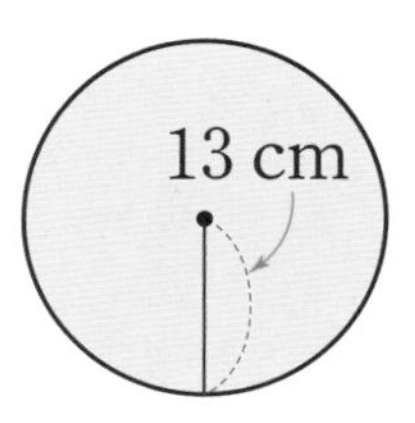

(원의 넓이)

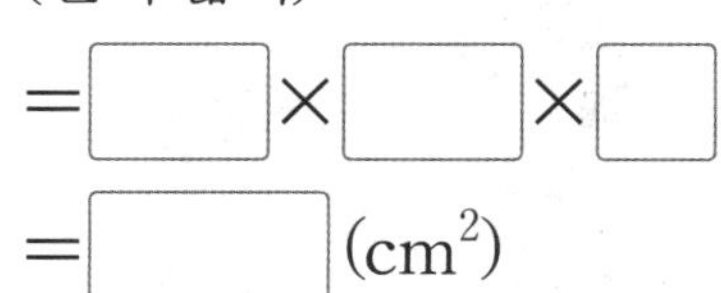
=□×□×□

=□ (cm^2)

4

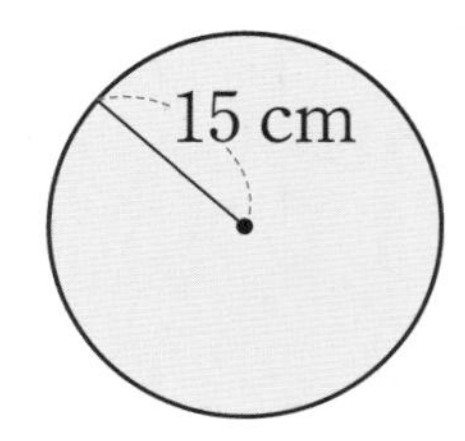

(원의 넓이)

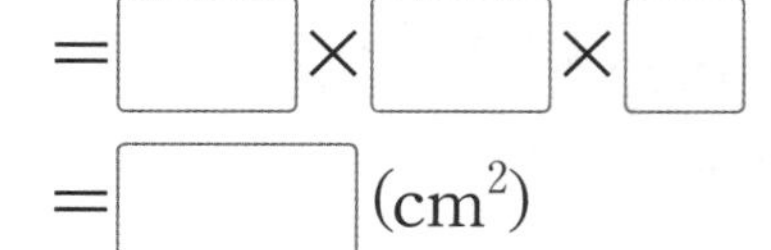
=□×□×□

=□ (cm^2)

원의 넓이를 구하세요. (원주율: 3.1)

5

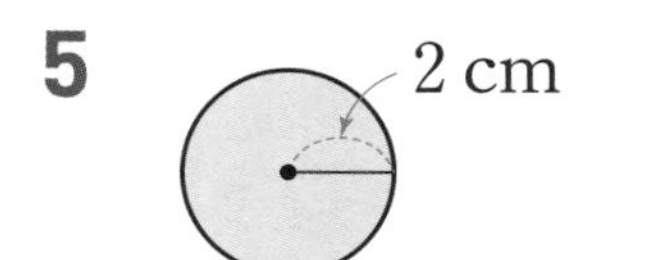

(　　　　　　　　) cm^2

6

(　　　　　　　　) cm^2

7

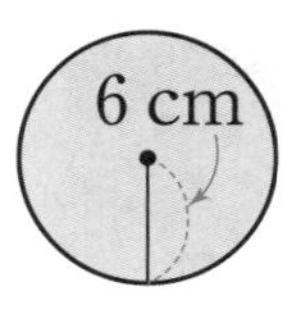

(　　　　　　　　) cm^2

8

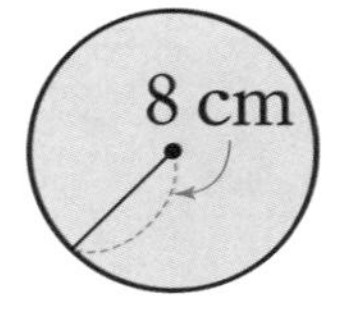

(　　　　　　　　) cm^2

9

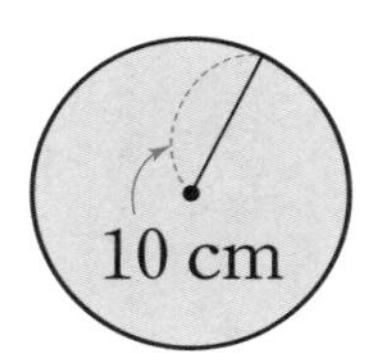

(　　　　　　　　) cm^2

10

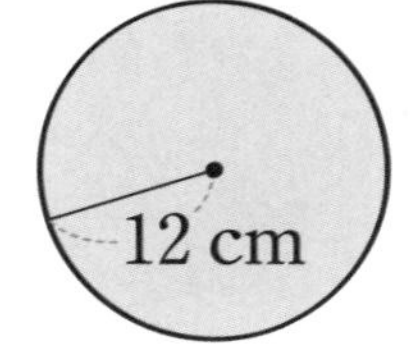

(　　　　　　　　) cm^2

11

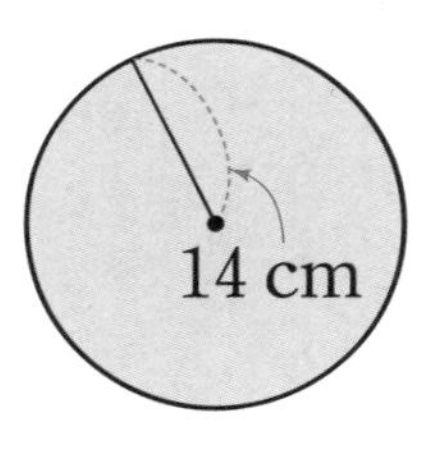

(　　　　　　　　) cm^2

12

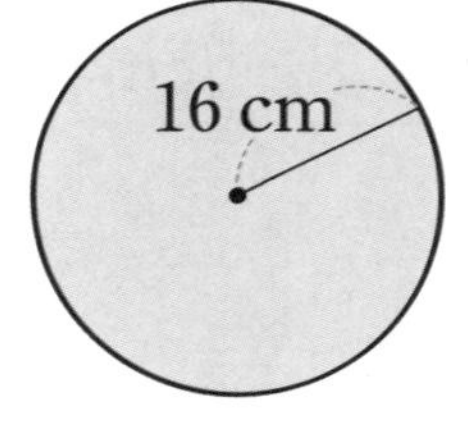

(　　　　　　　　) cm^2

13

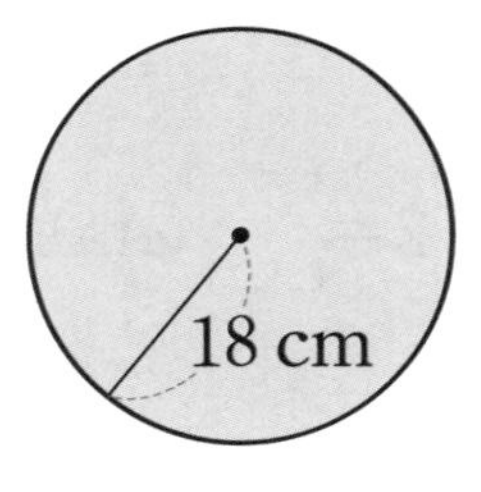

(　　　　　　　　) cm^2

14

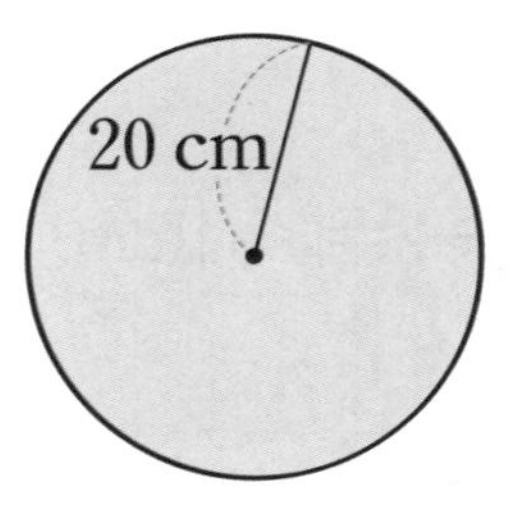

(　　　　　　　　) cm^2

3. 원의 넓이 구하기

예 지름이 6 cm일 때 원의 넓이 구하기 (원주율: 3)

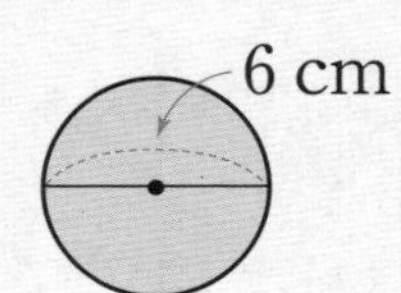

(반지름)=(지름)÷2=6÷2=3 (cm)

(원의 넓이)=(반지름)×(반지름)×(원주율)

=3×3×3=27 (cm^2)

원의 넓이를 구하세요. (원주율: 3)

1

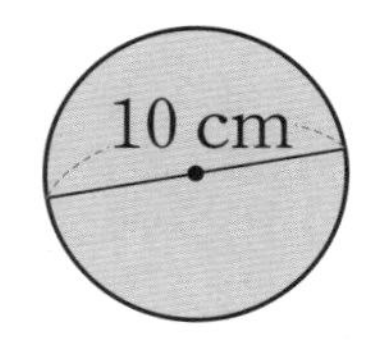

(반지름)=[10]÷2=[5] (cm)

(원의 넓이)

=[5]×[5]×3=[75] (cm^2)

2

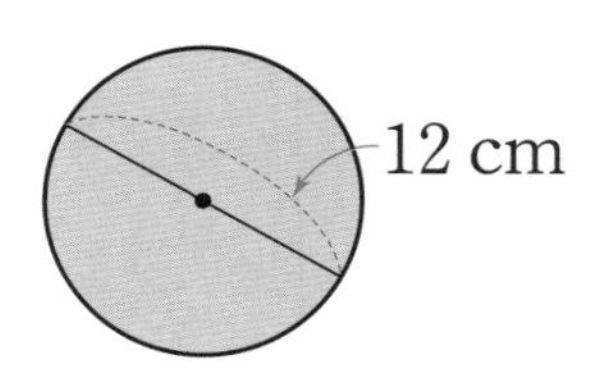

(반지름)=[ ]÷2=[ ] (cm)

(원의 넓이)

=[ ]×[ ]×3=[ ] (cm^2)

3

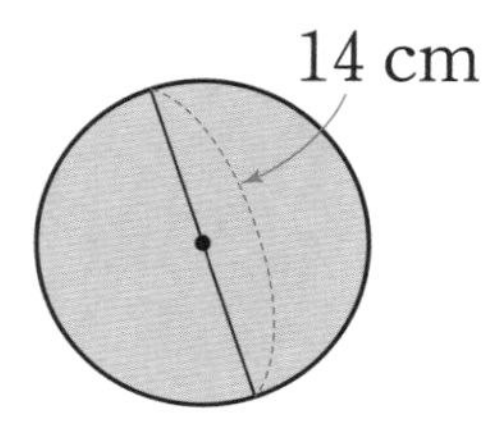

(반지름)=[ ]÷2=[ ] (cm)

(원의 넓이)

=[ ]×[ ]×3=[ ] (cm^2)

4

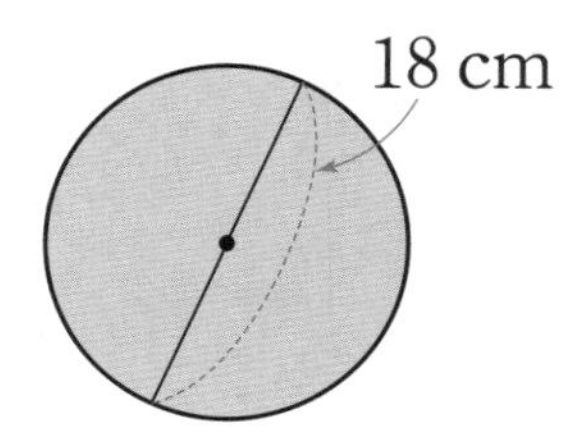

(반지름)=[ ]÷2=[ ] (cm)

(원의 넓이)

=[ ]×[ ]×3=[ ] (cm^2)

원의 넓이를 구하세요. (원주율: 3.1)

5

6 cm

( ) cm^2

6

8 cm

( ) cm^2

7

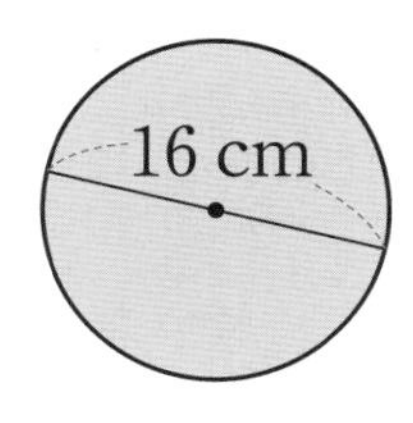

( ) cm^2

8

22 cm

( ) cm^2

9

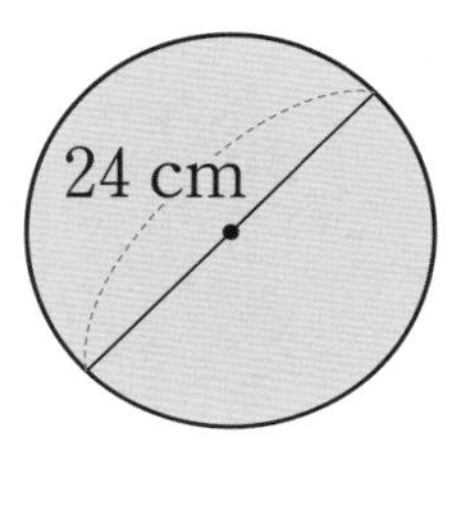

( ) cm^2

10

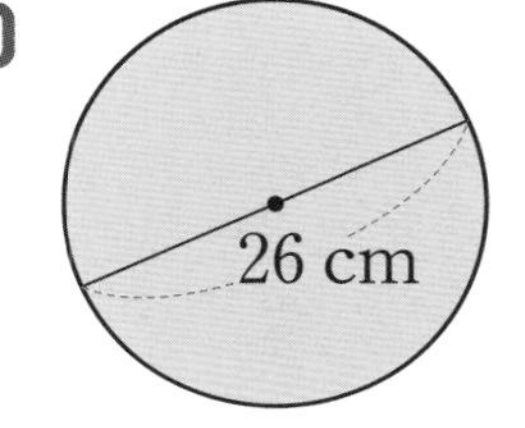

( ) cm^2

11

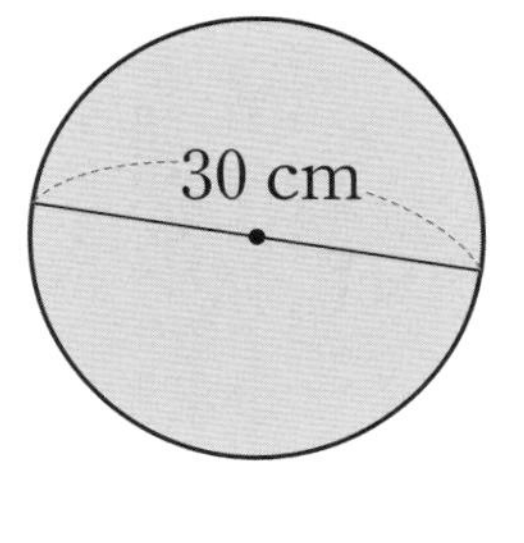

( ) cm^2

12

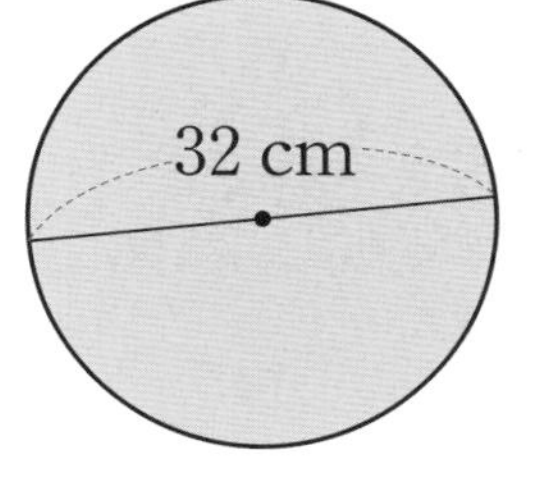

( ) cm^2

13

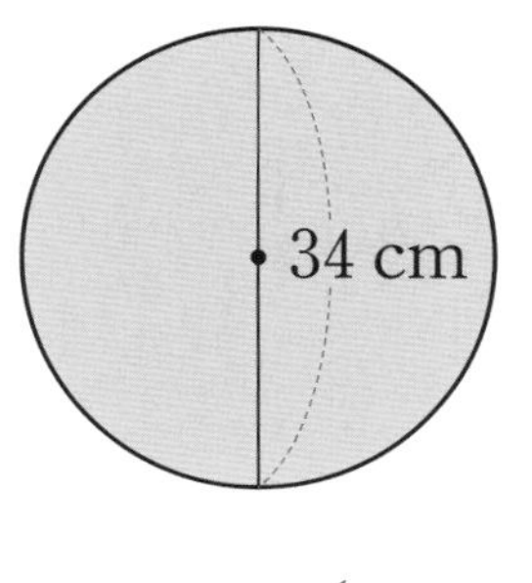

( ) cm^2

14

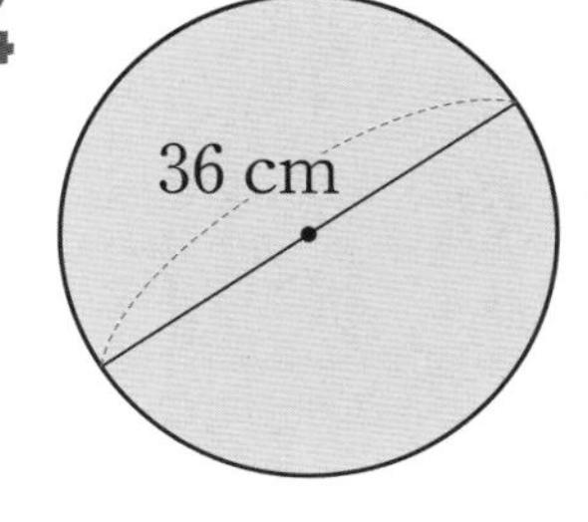

( ) cm^2

3. 원의 넓이 구하기

원의 넓이를 구하세요. (원주율: 3)

1 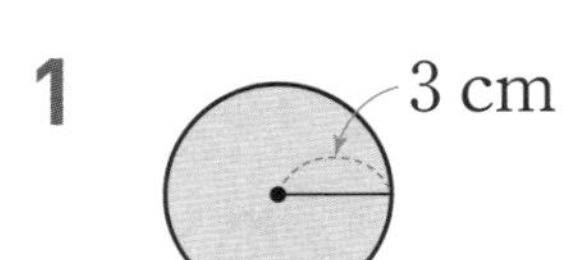

( ) cm^2

2 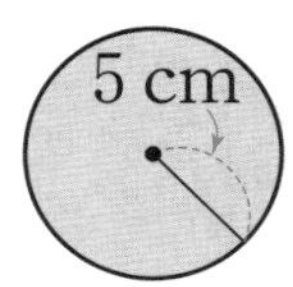

( ) cm^2

3 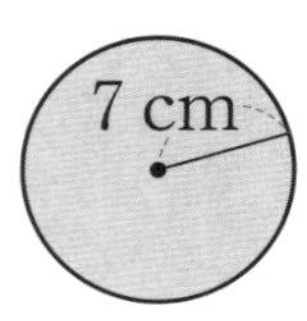

( ) cm^2

4 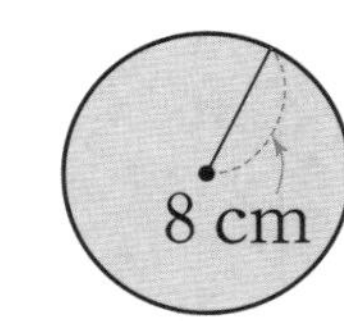

( ) cm^2

5 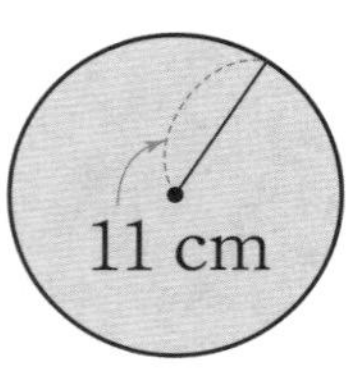

( ) cm^2

6 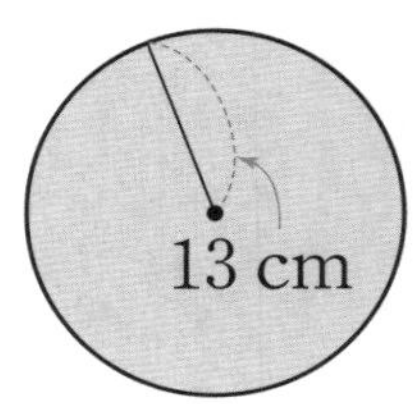

( ) cm^2

7 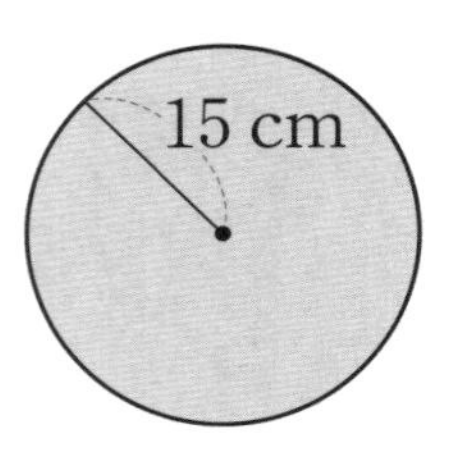

( ) cm^2

8 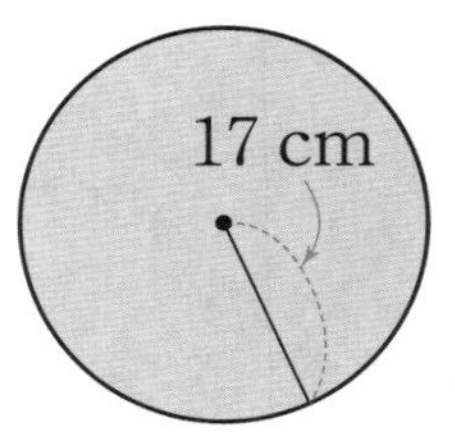

( ) cm^2

9 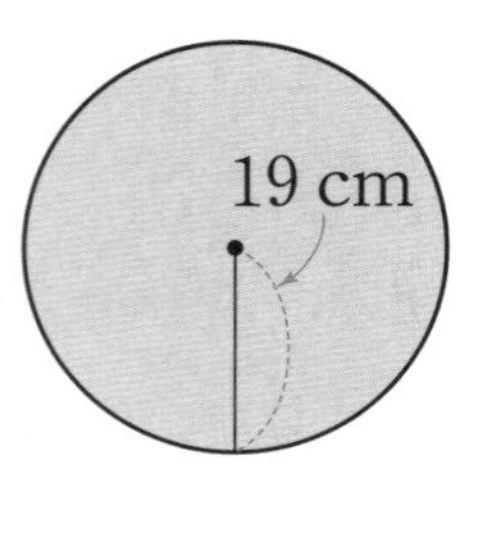

( ) cm^2

10 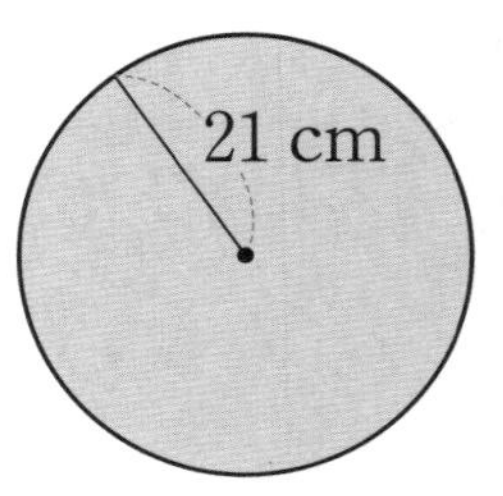

( ) cm^2

다음은 여러 가지 공의 지름을 나타낸 것입니다. 공의 지름을 보고 원의 넓이를 구하세요.

(원주율: 3.14)

11 4 cm

탁구공

( ) cm^2

12

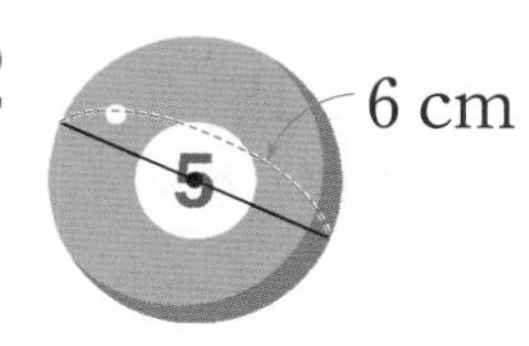

포켓볼 공

( ) cm^2

13

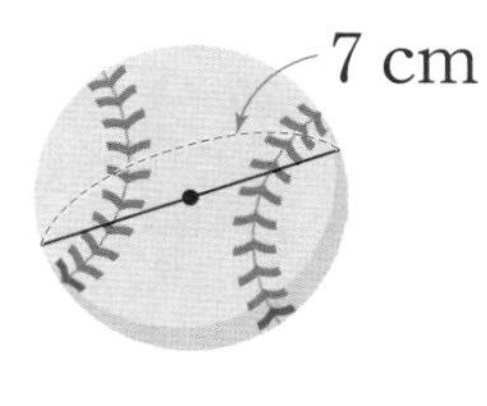

야구공

( ) cm^2

14

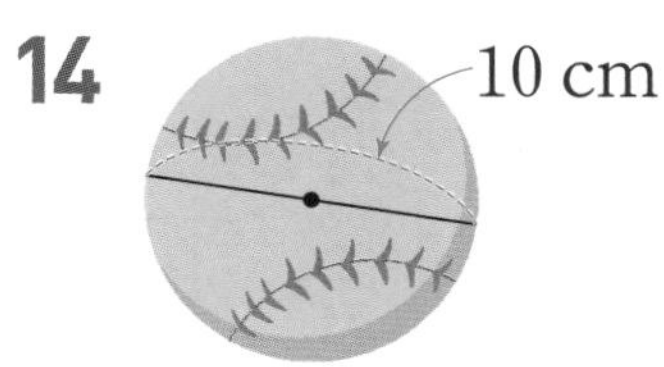

소프트볼 공

( ) cm^2

15

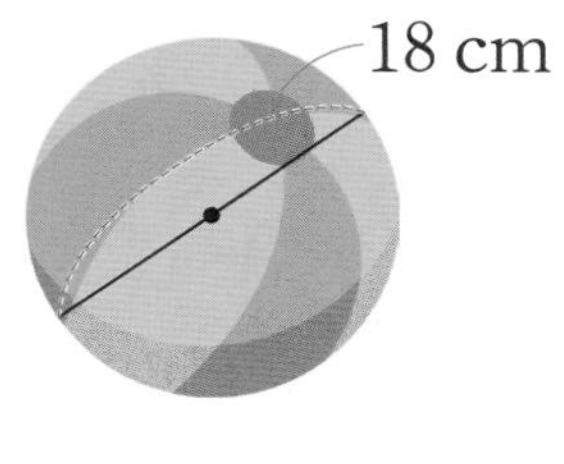

비치볼

( ) cm^2

16

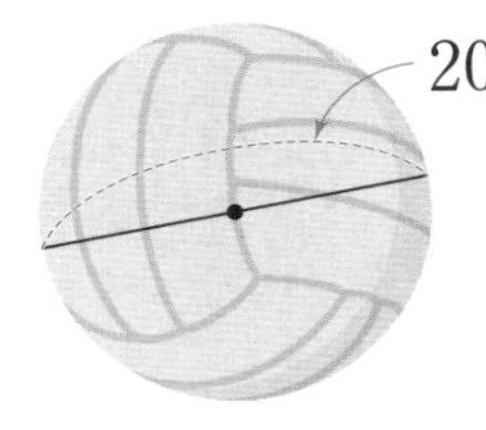

배구공

( ) cm^2

17

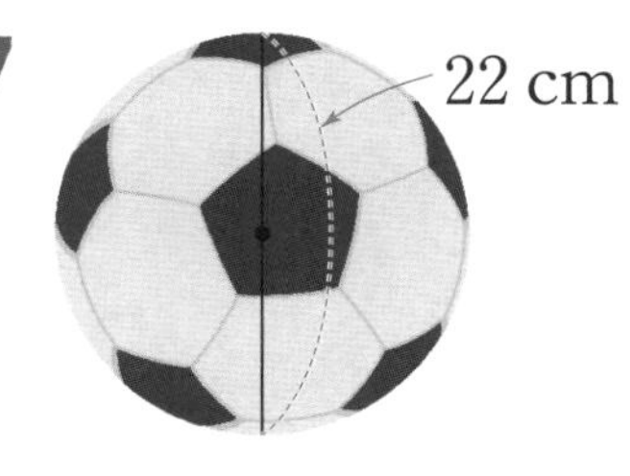

축구공

( ) cm^2

18

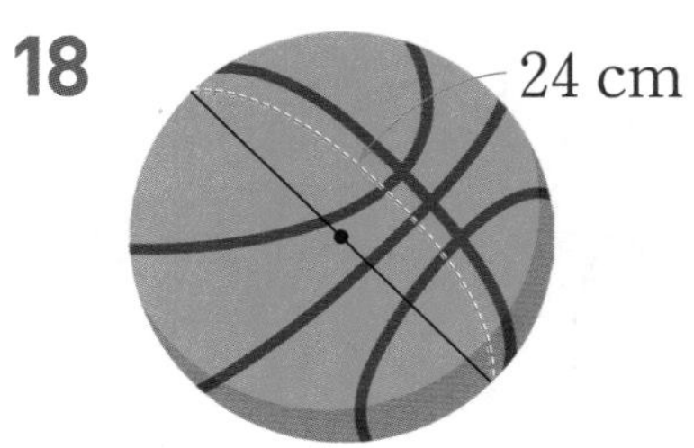

농구공

( ) cm^2

마무리 연산

 원주를 구하세요. (원주율: 3.1)

1 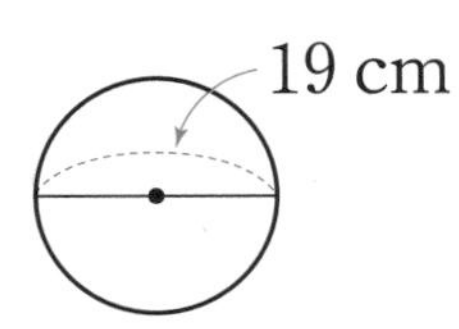

(　　　　　　　　) cm

2 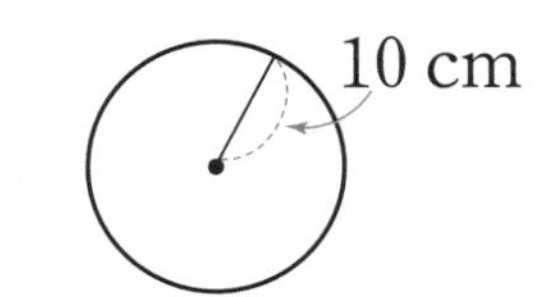

(　　　　　　　　) cm

3 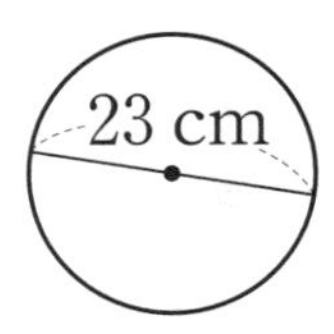

(　　　　　　　　) cm

4 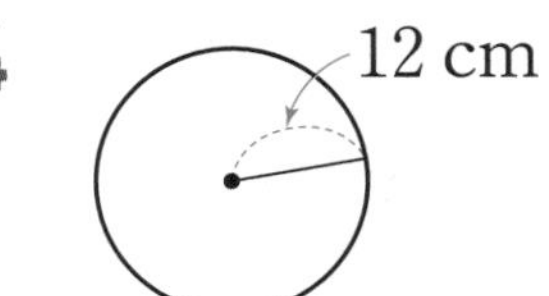

(　　　　　　　　) cm

5 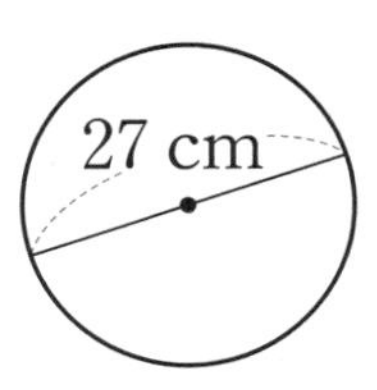

(　　　　　　　　) cm

6 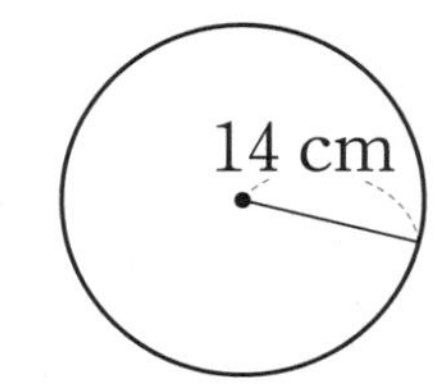

(　　　　　　　　) cm

7 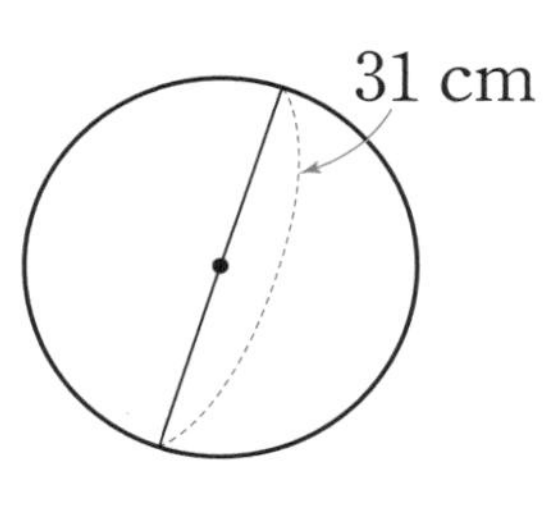

(　　　　　　　　) cm

8 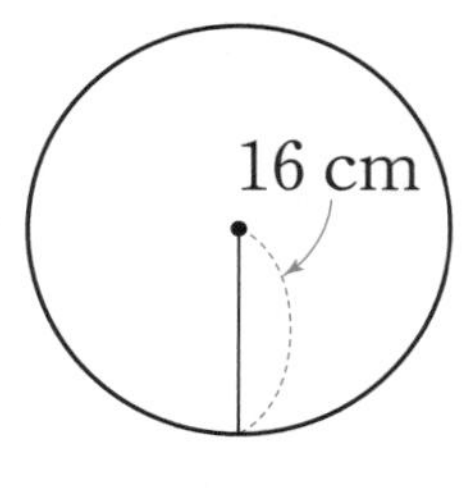

(　　　　　　　　) cm

9 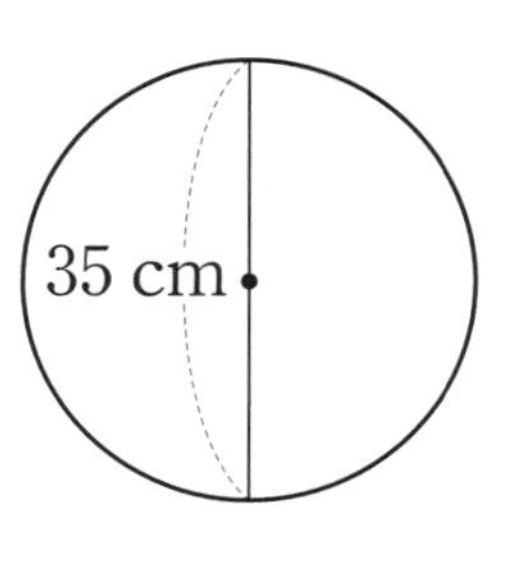

(　　　　　　　　) cm

10 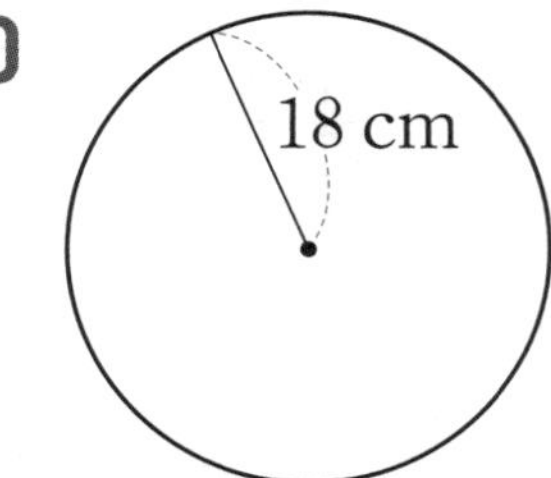

(　　　　　　　　) cm

원의 지름을 구하세요. (원주율: 3)

11 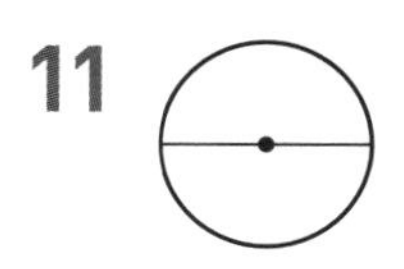

원주: 12 cm

( ) cm

12 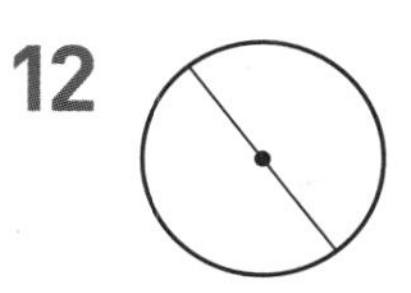

원주: 24 cm

( ) cm

13 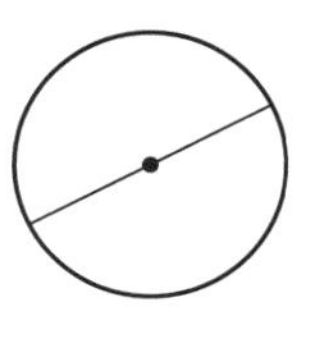

원주: 27 cm

( ) cm

14

원주: 33 cm

( ) cm

15 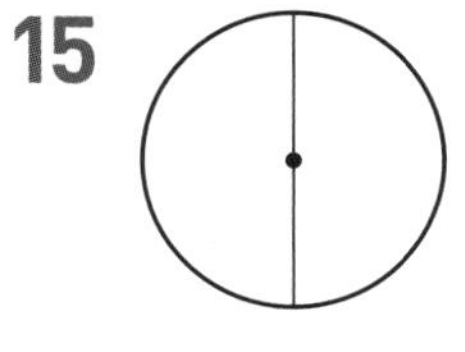

원주: 42 cm

( ) cm

16 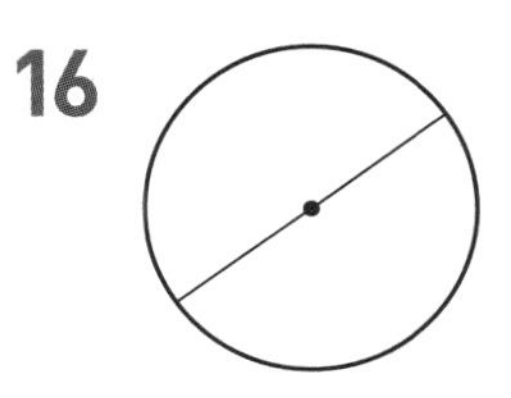

원주: 48 cm

( ) cm

17 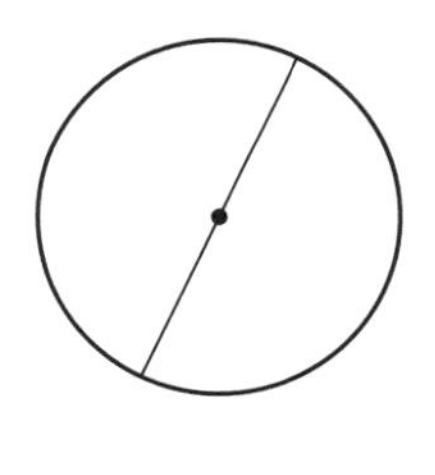

원주: 51 cm

( ) cm

18 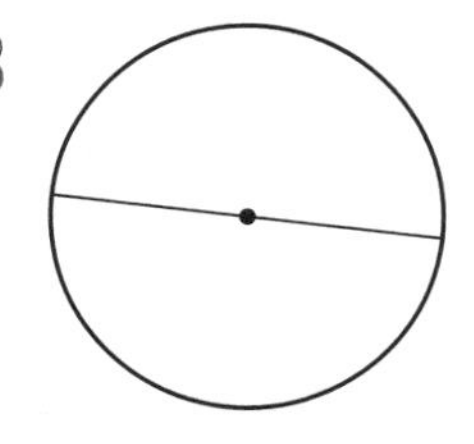

원주: 57 cm

( ) cm

19 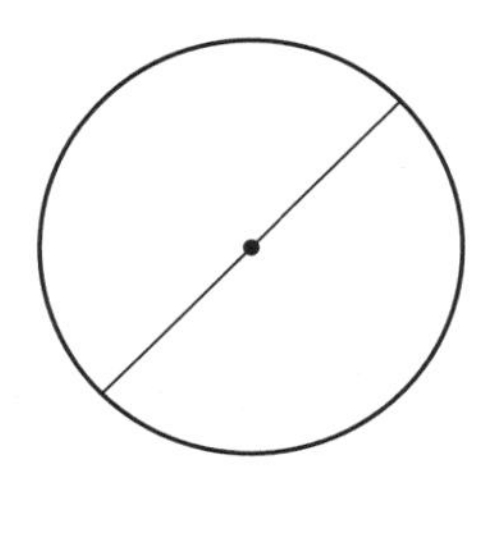

원주: 63 cm

( ) cm

20 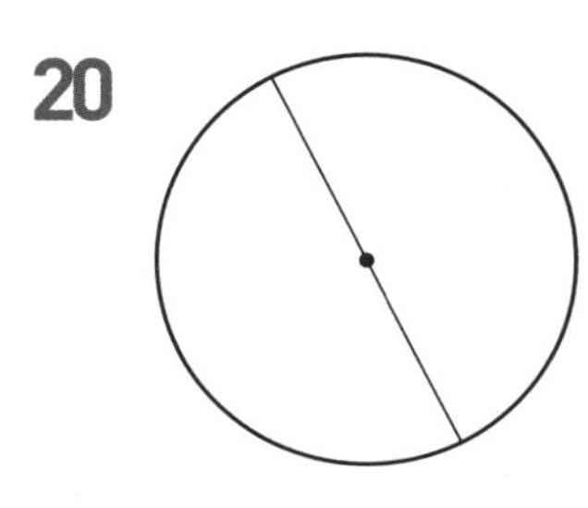

원주: 72 cm

( ) cm

5단계 원의 넓이

마무리 연산

원의 반지름을 구하세요. (원주율: 3.1)

1

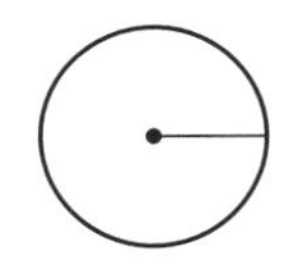

원주: 18.6 cm

( ) cm

2

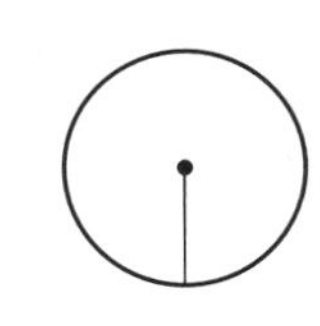

원주: 37.2 cm

( ) cm

3

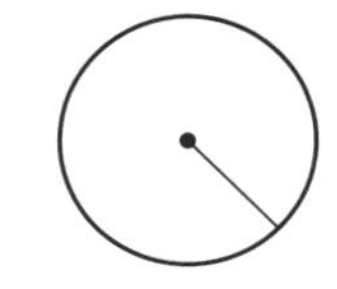

원주: 49.6 cm

( ) cm

4

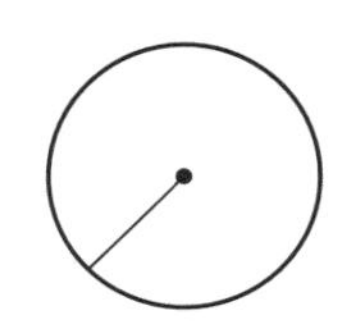

원주: 68.2 cm

( ) cm

5

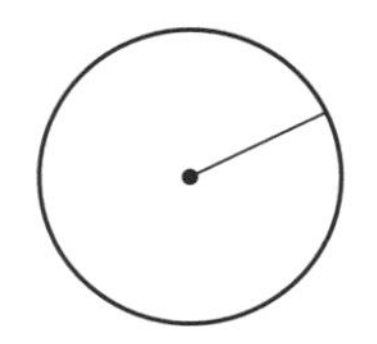

원주: 86.8 cm

( ) cm

6

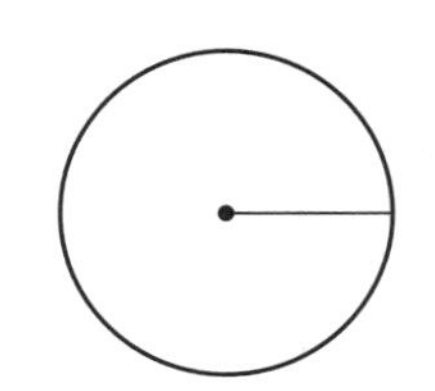

원주: 99.2 cm

( ) cm

7

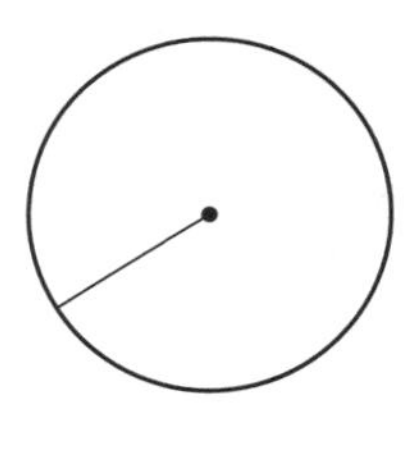

원주: 117.8 cm

( ) cm

8

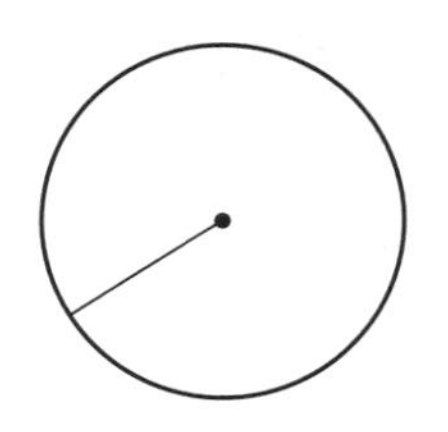

원주: 130.2 cm

( ) cm

9

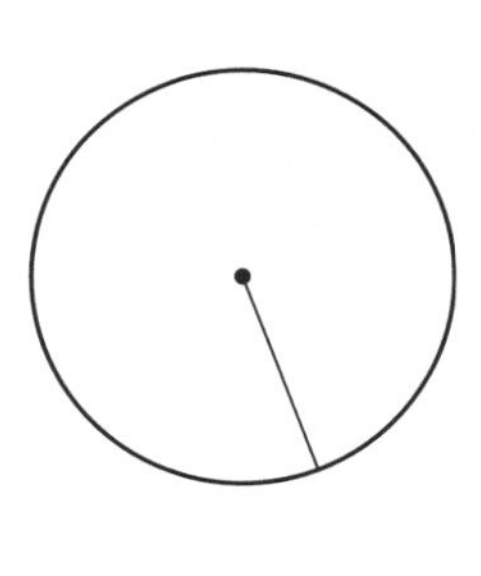

원주: 155 cm

( ) cm

10

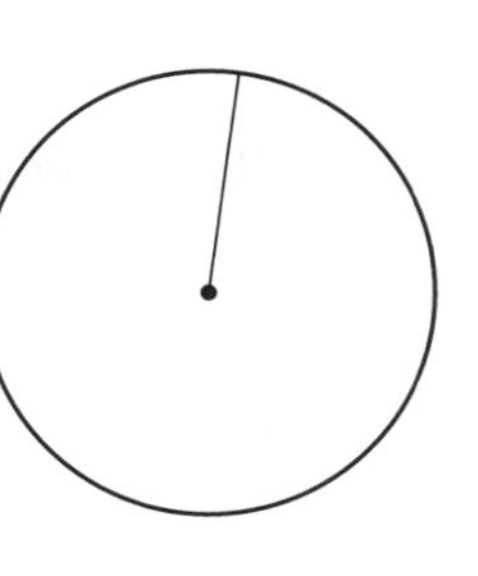

원주: 186 cm

( ) cm

원의 넓이를 구하세요. (원주율: 3)

11

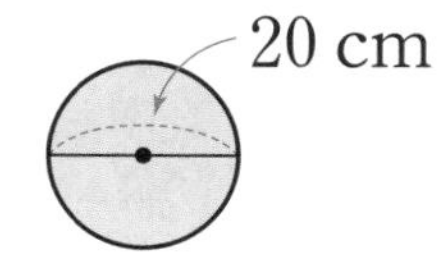

( ) cm^2

12

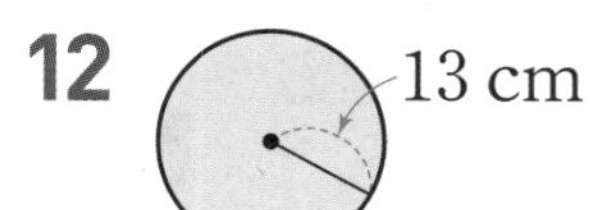

( ) cm^2

13

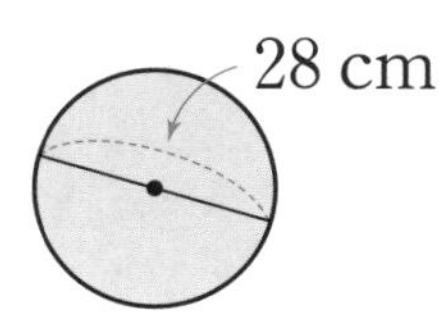

( ) cm^2

14

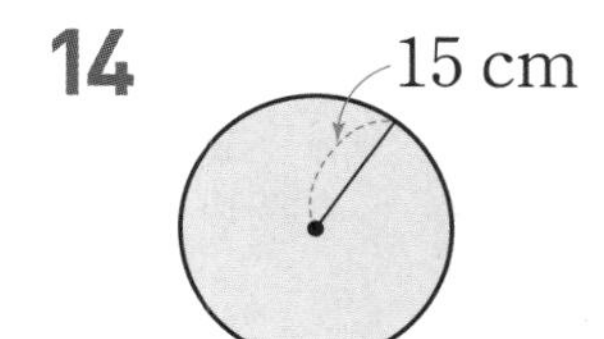

( ) cm^2

15

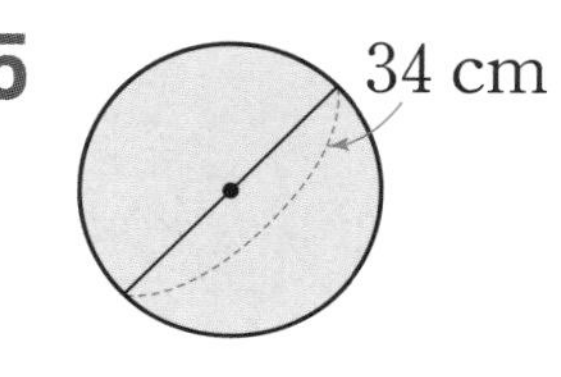

( ) cm^2

16

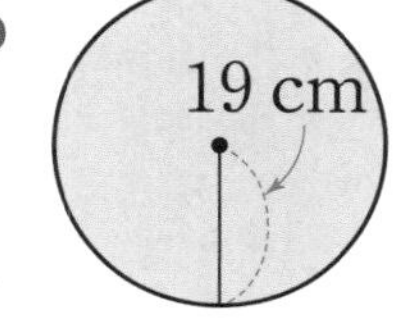

( ) cm^2

17

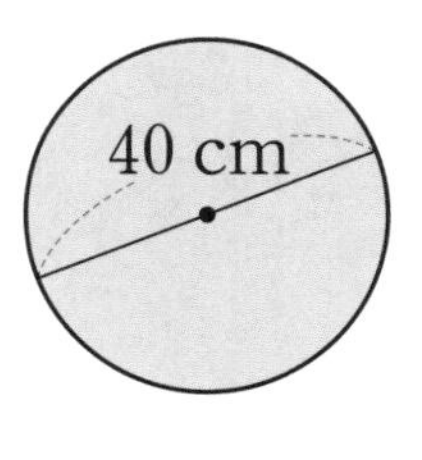

( ) cm^2

18

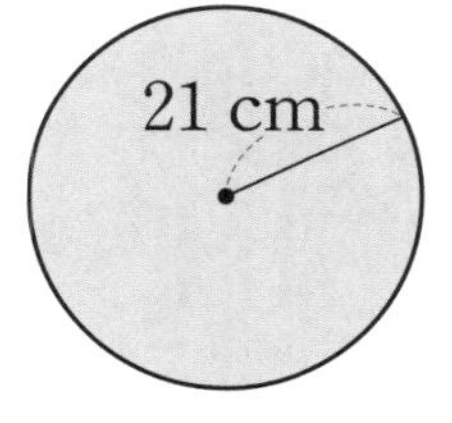

( ) cm^2

19

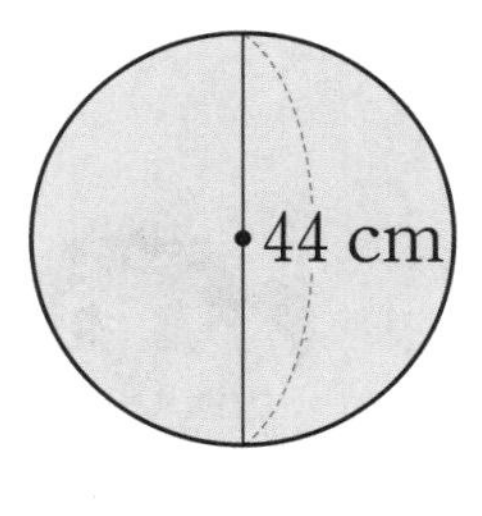

( ) cm^2

20

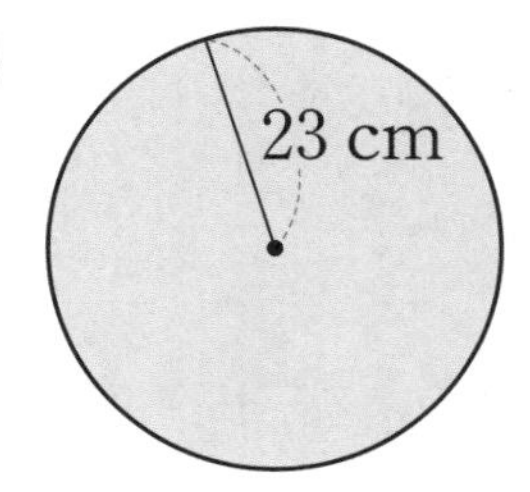

( ) cm^2

MEMO

힘수 연산으로 **수학** 기초 체력 **UP!**

이제 정답을
확인하러 가 볼까?

힘이 붙는 수학 연산

정답

초등 6B

금성출판사

차례

정답

초등 6B

1단계 분수의 나눗셈

DAY 01 8~9쪽

1. 분모가 같은 (진분수)÷(진분수)

1 1, 4	**2** 1, 5	**3** 7, 7
4 9, 9	**5** 8, 4, 2	**6** 12, 4, 3
7 15, 3, 5	**8** 16, 4, 4	**9** 15, 5, 3
10 18, 6, 3	**11** 2	**12** 2
13 4	**14** 7	**15** 2
16 3	**17** 2	**18** 2
19 6	**20** 5	**21** 5
22 6		

DAY 02 10~11쪽

1. 분모가 같은 (진분수)÷(진분수)

1 3	**2** 4	**3** 4
4 3	**5** 2	**6** 5
7 5	**8** 4	**9** 2
10 3	**11** 5	**12** 4
13 2	**14** 9	**15** 2
16 2	**17** 4	**18** 3
19 2	**20** 3	**21** 4
22 2	**23** 6	**24** 4

DAY 03 12~13쪽

1. 분모가 같은 (진분수)÷(진분수)

1 5	**2** 7	**3** 5
4 3	**5** 2	**6** 2
7 3	**8** 2	**9** 4
10 7	**11** 3	**12** 2
13 6	**14** 4	**15** 4
16 2	**17** 5	**18** 7
19 2	**20** 2	**21** 4
22 4		

DAY 04 14~15쪽

1. 분모가 같은 (진분수)÷(진분수)

1 1	**2** 2	**3** 7, 7
4 5, 5	**5** 5, 6, $\frac{5}{6}$	**6** 7, 7
7 7, 13, $\frac{7}{13}$	**8** 8, 17, $\frac{8}{17}$	**9** 4, 4, $\frac{1}{2}$
10 6, 8, $\frac{6}{8}$, $\frac{3}{4}$	**11** $\frac{1}{4}$	**12** $\frac{5}{7}$
13 $\frac{1}{4}$	**14** $\frac{11}{12}$	**15** $\frac{4}{7}$
16 $\frac{1}{2}$	**17** $\frac{11}{15}$	**18** $\frac{8}{19}$
19 $\frac{11}{14}$	**20** $\frac{13}{22}$	**21** $\frac{8}{17}$
22 $\frac{5}{11}$		

DAY 05 16~17쪽

1. 분모가 같은 (진분수)÷(진분수)

1 $5, 2\frac{1}{2}$ 2 $7, 2\frac{1}{3}$ 3 $5, 5, 1\frac{3}{5}$

4 $7, 7, 1\frac{2}{7}$ 5 $9, 9, 1\frac{4}{5}$ 6 $7, 7, 1\frac{2}{5}$

7 $12, 5, \frac{12}{5}, 2\frac{2}{5}$ 8 $11, 9, \frac{11}{9}, 1\frac{2}{9}$

9 $1\frac{1}{2}$ 10 $1\frac{2}{3}$ 11 $3\frac{1}{2}$

12 $1\frac{4}{5}$ 13 $2\frac{1}{5}$ 14 $1\frac{1}{8}$

15 $2\frac{3}{4}$ 16 $1\frac{4}{5}$ 17 $1\frac{6}{11}$

18 $6\frac{1}{3}$

DAY 06 18~19쪽

1. 분모가 같은 (진분수)÷(진분수)

1 $\frac{1}{3}$ 2 $\frac{4}{9}$ 3 $\frac{5}{7}$

4 $\frac{4}{11}$ 5 $\frac{5}{11}$ 6 $\frac{7}{13}$

7 $\frac{3}{5}$ 8 $3\frac{3}{4}$ 9 $2\frac{3}{5}$

10 $1\frac{1}{2}$ 11 $1\frac{8}{9}$ 12 $2\frac{1}{2}$

13 $1\frac{4}{11}$ 14 $3\frac{4}{5}$ 15 $\frac{3}{5}$

16 $\frac{1}{4}$ 17 $\frac{7}{17}$ 18 $5\frac{1}{4}$

19 $3\frac{4}{7}$ 20 $1\frac{3}{5}$ 21 $2\frac{7}{9}$

22 $1\frac{3}{5}$

생활 속 연산 $1\frac{3}{4}$배

DAY 07 20~21쪽

2. 분모가 다른 (진분수)÷(진분수)

1 $5, 9, \frac{5}{9}$ 2 $18, 25, \frac{18}{25}$

3 $7, 7, 21, 12, 21, \frac{12}{21}, \frac{4}{7}$

4 $2, 2, 14, 14, 15, \frac{14}{15}$

5 $5, 5, 11, 11, 45, 44, \frac{45}{44}, 1\frac{1}{44}$

6 $\frac{3}{4}$ 7 $\frac{8}{9}$ 8 $2\frac{2}{5}$

9 $\frac{13}{14}$ 10 $2\frac{1}{2}$ 11 $\frac{8}{21}$

12 $\frac{25}{28}$ 13 $\frac{4}{5}$ 14 $\frac{3}{4}$

15 $\frac{15}{22}$ 16 $1\frac{2}{3}$ 17 $\frac{49}{65}$

DAY 08 22~23쪽

2. 분모가 다른 (진분수)÷(진분수)

1 $\frac{5}{3}, \frac{5}{9}$ 2 $7, \frac{6}{7}$ 3 $4, \frac{4}{7}$

4 $2, \frac{5}{6}$ 5 $7, \frac{7}{26}$ 6 $4, \frac{8}{11}$

7 $7, \frac{14}{15}$ 8 $5, \frac{10}{17}$ 9 $\frac{3}{5}$

10 $1\frac{4}{5}$ 11 $1\frac{1}{5}$ 12 $1\frac{5}{16}$

13 $\frac{2}{3}$ 14 $1\frac{1}{6}$ 15 $1\frac{1}{11}$

16 $\frac{1}{2}$ 17 $1\frac{1}{21}$ 18 $1\frac{11}{45}$

19 $\frac{12}{17}$ 20 $1\frac{5}{19}$

DAY 09 24~25쪽

2. 분모가 다른 (진분수)÷(진분수)

1 3 **2** $3\frac{4}{7}$ **3** $4\frac{1}{5}$
4 $\frac{4}{9}$ **5** $1\frac{2}{25}$ **6** $\frac{28}{33}$
7 $1\frac{5}{9}$ **8** $1\frac{1}{7}$ **9** $1\frac{1}{2}$
10 3 **11** $1\frac{5}{6}$ **12** $\frac{16}{17}$
13 $1\frac{3}{11}$ **14** $1\frac{4}{5}$ **15** $1\frac{1}{27}$
16 $1\frac{6}{19}$ **17** 2 **18** $\frac{2}{3}$
19 $\frac{16}{23}$ **20** $\frac{3}{5}$ **21** $1\frac{1}{3}$
22 $\frac{1}{4}$ **23** $1\frac{2}{3}$ **24** $\frac{4}{15}$

DAY 10 26~27쪽

3. (자연수)÷(진분수)

1 4 **2** 12 **3** 4, 16
4 3, 15 **5** 4, 24 **6** 3, 21
7 8, 7, 56 **8** 9, 6, 54 **9** 10, 8, 80
10 11, 9, 99 **11** 40 **12** 25
13 75 **14** 70 **15** 10
16 50 **17** 100 **18** 45

DAY 11 28~29쪽

3. (자연수)÷(진분수)

1 3, 2, 3, 6 **2** 5, 3, 5, 15
3 4, 7, 2, 7, 14 **4** 5, 9, 2, 9, 18
5 12, 4, 9, 3, 9, 27
6 3 **7** 5 **8** 18
9 10 **10** 14 **11** 21
12 25 **13** 20 **14** 63
15 39 **16** 26 **17** 34

DAY 12 30~31쪽

3. (자연수)÷(진분수)

1 $\frac{4}{3}$, $\frac{8}{3}$, $2\frac{2}{3}$ **2** $\frac{7}{5}$, $\frac{21}{5}$, $4\frac{1}{5}$
3 7, $\frac{14}{3}$, $4\frac{2}{3}$ **4** $\frac{9}{4}$, $\frac{45}{4}$, $11\frac{1}{4}$
5 5, $\frac{15}{2}$, $7\frac{1}{2}$ **6** $\frac{5}{3}$, $\frac{35}{3}$, $11\frac{2}{3}$
7 $\frac{6}{5}$, $\frac{48}{5}$, $9\frac{3}{5}$ **8** $\frac{3}{2}$, $\frac{27}{2}$, $13\frac{1}{2}$
9 $3\frac{1}{2}$ **10** $3\frac{3}{5}$ **11** $5\frac{1}{3}$
12 $6\frac{1}{2}$ **13** $6\frac{2}{3}$ **14** $17\frac{1}{2}$
15 $9\frac{1}{3}$ **16** $16\frac{1}{2}$ **17** $11\frac{2}{3}$
18 $17\frac{1}{3}$ **19** $25\frac{2}{3}$ **20** $18\frac{2}{3}$

DAY 13 32~33쪽

3. (자연수)÷(진분수)

1 6 2 25 3 42
4 36 5 88 6 39
7 5 8 14 9 22
10 9 11 14 12 14
13 $3\frac{1}{2}$ 14 $6\frac{3}{7}$ 15 $11\frac{2}{3}$
16 $12\frac{3}{5}$ 17 $16\frac{1}{2}$ 18 $13\frac{1}{2}$
19 $15\frac{2}{5}$ 20 $17\frac{1}{3}$ 21 $25\frac{1}{2}$
22 $22\frac{2}{3}$ 23 $33\frac{1}{4}$ 24 $36\frac{3}{4}$

생활 속 연산 21일

DAY 14 34~35쪽

4. (가분수)÷(진분수)

1 10, 3, $\frac{10}{3}$, $3\frac{1}{3}$ 2 15, 8, $\frac{15}{8}$, $1\frac{7}{8}$
3 2, 2, 8, 21, 8, $\frac{21}{8}$, $2\frac{5}{8}$
4 5, 5, 55, 55, 12, $\frac{55}{12}$, $4\frac{7}{12}$
5 $3\frac{1}{8}$ 6 $2\frac{1}{3}$ 7 $3\frac{1}{3}$
8 $2\frac{4}{5}$ 9 $2\frac{4}{5}$ 10 $3\frac{3}{5}$
11 $3\frac{8}{9}$ 12 $2\frac{3}{4}$ 13 $1\frac{3}{7}$
14 $2\frac{1}{7}$ 15 $1\frac{17}{28}$ 16 $1\frac{23}{32}$

DAY 15 36~37쪽

4. (가분수)÷(진분수)

1 3, $\frac{10}{3}$, $3\frac{1}{3}$ 2 $\frac{3}{2}$, 15, $1\frac{7}{8}$
3 4, $\frac{21}{8}$, $2\frac{5}{8}$ 4 3, $\frac{55}{12}$, $4\frac{7}{12}$
5 4, $\frac{13}{8}$, $1\frac{5}{8}$
6 $3\frac{3}{4}$ 7 $1\frac{1}{2}$ 8 $4\frac{2}{3}$
9 $5\frac{1}{4}$ 10 $4\frac{2}{3}$ 11 $2\frac{4}{25}$
12 $3\frac{3}{10}$ 13 $3\frac{5}{7}$ 14 $2\frac{1}{7}$
15 $2\frac{8}{35}$ 16 $1\frac{5}{6}$ 17 $2\frac{7}{22}$

DAY 16 38~39쪽

4. (가분수)÷(진분수)

1 4 2 10 3 3
4 6 5 2 6 3
7 $4\frac{1}{5}$ 8 $2\frac{6}{7}$ 9 $3\frac{3}{5}$
10 $3\frac{5}{13}$ 11 $1\frac{1}{2}$ 12 $9\frac{3}{5}$
13 $1\frac{2}{3}$ 14 $3\frac{7}{15}$ 15 $1\frac{5}{7}$
16 $9\frac{3}{7}$ 17 $1\frac{5}{16}$ 18 $3\frac{1}{28}$
19 $1\frac{19}{33}$ 20 $6\frac{2}{3}$ 21 $2\frac{7}{16}$
22 $4\frac{1}{2}$

생활 속 연산 9개

DAY 17 40~41쪽

5. (대분수)÷(진분수)

1 5, 20, 9, 20, 9, $\frac{20}{9}$, $2\frac{2}{9}$

2 9, 18, 18, 5, $\frac{18}{5}$, $3\frac{3}{5}$

3 17, 51, 10, 51, 10, $\frac{51}{10}$, $5\frac{1}{10}$

4 13, 26, 26, 5, $\frac{26}{5}$, $5\frac{1}{5}$

5 11, 33, 4, 33, 4, $\frac{33}{4}$, $8\frac{1}{4}$

6 2　7 $2\frac{4}{5}$　8 $1\frac{4}{5}$

9 2　10 $3\frac{1}{3}$　11 $2\frac{4}{5}$

12 $5\frac{1}{4}$　13 $3\frac{3}{5}$　14 4

15 $4\frac{8}{9}$　16 $7\frac{4}{5}$　17 $5\frac{1}{9}$

DAY 18 42~43쪽

5. (대분수)÷(진분수)

1 5, 5, $\frac{4}{3}$, $\frac{20}{9}$, $2\frac{2}{9}$　2 9, 5, $\frac{15}{4}$, $3\frac{3}{4}$

3 17, 17, $\frac{3}{2}$, $\frac{51}{10}$, $5\frac{1}{10}$

4 13, 13, 5, $\frac{26}{5}$, $5\frac{1}{5}$

5 11, 11, $\frac{3}{2}$, $\frac{33}{4}$, $8\frac{1}{4}$

6 $1\frac{7}{9}$　7 2　8 $2\frac{1}{5}$

9 $1\frac{3}{7}$　10 $3\frac{1}{3}$　11 $3\frac{1}{4}$

12 3　13 $2\frac{3}{5}$　14 $5\frac{1}{3}$

15 6　16 4　17 $3\frac{1}{3}$

DAY 19 44~45쪽

5. (대분수)÷(진분수)

1 14　2 26　3 $14\frac{2}{3}$

4 $31\frac{1}{2}$　5 $3\frac{1}{2}$　6 2

7 $2\frac{1}{5}$　8 $1\frac{1}{2}$　9 $4\frac{2}{3}$

10 $4\frac{1}{5}$　11 $2\frac{6}{7}$　12 4

13 42　14 6　15 $5\frac{1}{15}$

16 $7\frac{1}{7}$　17 $3\frac{5}{7}$　18 5

19 $12\frac{1}{4}$　20 $6\frac{4}{5}$　21 $20\frac{2}{3}$

22 18　23 $12\frac{1}{2}$　24 $4\frac{2}{7}$

25 $9\frac{1}{3}$　26 $2\frac{19}{22}$

DAY 20 46~47쪽

6. (대분수)÷(대분수)

1 5, 4, 5, $\frac{3}{4}$, $\frac{15}{8}$, $1\frac{7}{8}$

2 11, 9, 11, $\frac{4}{9}$, $\frac{44}{27}$, $1\frac{17}{27}$

3 22, 7, 22, 7, $\frac{22}{7}$, $3\frac{1}{7}$

4 45, 19, 45, 19, $\frac{90}{19}$, $4\frac{14}{19}$

5 59, 95, 59, 95, $\frac{118}{95}$, $1\frac{23}{95}$

6 $2\frac{6}{7}$　7 $2\frac{4}{7}$　8 $2\frac{1}{2}$

9 $1\frac{4}{5}$　10 $3\frac{1}{33}$　11 $1\frac{19}{46}$

12 $1\frac{13}{55}$　13 $2\frac{14}{51}$　14 $1\frac{22}{35}$

15 $1\frac{5}{13}$　16 6　17 $2\frac{2}{91}$

DAY 21 48~49쪽

6. (대분수)÷(대분수)

1 $2\frac{4}{15}$ 2 $1\frac{3}{11}$ 3 $2\frac{2}{7}$
4 $2\frac{4}{19}$ 5 $2\frac{10}{11}$ 6 $1\frac{5}{16}$
7 $7\frac{1}{2}$ 8 $4\frac{4}{15}$ 9 $3\frac{9}{11}$
10 $5\frac{2}{5}$ 11 3 12 $3\frac{6}{13}$
13 $3\frac{16}{33}$ 14 $4\frac{37}{77}$ 15 $1\frac{1}{3}$
16 $4\frac{2}{13}$ 17 $6\frac{5}{8}$ 18 $3\frac{15}{16}$
19 $3\frac{1}{3}$ 20 $2\frac{8}{23}$ 21 $3\frac{15}{28}$
22 $5\frac{17}{45}$ 23 $6\frac{4}{5}$ 24 $4\frac{13}{17}$
25 $5\frac{3}{5}$ 26 $5\frac{17}{54}$

DAY 22 50~51쪽

6. (대분수)÷(대분수)

1 $1\frac{1}{4}$ 2 $1\frac{11}{25}$ 3 2
4 $4\frac{1}{2}$ 5 $2\frac{7}{10}$ 6 $4\frac{13}{30}$
7 $4\frac{3}{22}$ 8 8 9 $\frac{5}{9}$
10 $2\frac{1}{46}$ 11 $6\frac{14}{15}$ 12 $1\frac{13}{56}$
13 $2\frac{1}{2}$ 14 $4\frac{1}{14}$ 15 $4\frac{1}{8}$
16 $\frac{23}{36}$ 17 $5\frac{9}{17}$ 18 $1\frac{13}{14}$
19 $1\frac{1}{15}$ 20 $2\frac{11}{12}$ 21 $4\frac{1}{6}$
22 $1\frac{9}{40}$

생활 속 연산 6개

DAY 23 52~53쪽

마무리 연산

1 3 2 4 3 3
4 4 5 8 6 3
7 $\frac{4}{9}$ 8 $1\frac{2}{5}$ 9 $1\frac{3}{4}$
10 $\frac{7}{12}$ 11 $1\frac{1}{4}$ 12 $\frac{8}{19}$
13 $\frac{3}{7}$ 14 $5\frac{1}{5}$ 15 $1\frac{4}{5}$
16 $\frac{8}{9}$ 17 2 18 $1\frac{5}{34}$
19 $1\frac{1}{3}$ 20 $2\frac{1}{2}$ 21 12
22 $9\frac{1}{3}$ 23 18 24 $15\frac{2}{5}$
25 20 26 $19\frac{4}{5}$ 27 27
28 34

DAY 24 54~55쪽

마무리 연산

1 12 2 $3\frac{3}{5}$ 3 $3\frac{2}{21}$
4 $2\frac{1}{22}$ 5 $3\frac{3}{4}$ 6 $3\frac{1}{5}$
7 $6\frac{3}{5}$ 8 $2\frac{4}{7}$ 9 3
10 $1\frac{9}{11}$ 11 $4\frac{1}{2}$ 12 $1\frac{13}{15}$
13 $2\frac{5}{14}$ 14 $1\frac{5}{11}$ 15 20
16 26 17 $19\frac{1}{2}$ 18 $18\frac{2}{3}$
19 3 20 $4\frac{7}{12}$ 21 $4\frac{7}{8}$
22 $2\frac{5}{11}$ 23 $1\frac{1}{2}$ 24 $6\frac{3}{7}$
25 3 26 $3\frac{1}{3}$ 27 $1\frac{13}{15}$
28 $1\frac{5}{7}$

2단계 소수의 나눗셈

DAY 01 58~59쪽

1. 자릿수가 같은 (소수)÷(소수)

1

			4
0.	3	)1.	2
		1	2
			0

2

			7
0.	5	)3.	5
		3	5
			0

3

			2
1.	2	)2.	4
		2	4
			0

4

			4
2.	4	)9.	6
		9	6
			0

5

				6
2.	6	)1	5.	6
		1	5	6
				0

6

				8
3.	7	)2	9.	6
		2	9	6
				0

7

			2	7
0.	6	)1	6.	2
		1	2	
			4	2
			4	2
				0

8

			1	5
1.	3	)1	9.	5
		1	3	
			6	5
			6	5
				0

9

			2	4
2.	6	)6	2.	4
		5	2	
		1	0	4
		1	0	4
				0

10 4　**11** 7　**12** 9

13 6　**14** 4　**15** 3

16 8　**17** 6　**18** 9

19 45　**20** 57　**21** 78

22 56　**23** 27　**24** 13

DAY 02 60~61쪽

1. 자릿수가 같은 (소수)÷(소수)

1 6, 9　**2** 14, 4

3 105, 15, 105, 15, 7　**4** 336, 8, 336, 8, 42

5 252, 14, 252, 14, 18

6 6　**7** 8　**8** 4

9 3　**10** 5　**11** 3

12 37　**13** 59　**14** 6

15 7　**16** 16　**17** 28

DAY 03 62~63쪽

1. 자릿수가 같은 (소수)÷(소수)

1

					4
0.	0	8	)0.	3	2
				3	2
					0

2

					3
0.	1	2	)0.	3	6
				3	6
					0

3

				1	3
0.	2	8	)3.	6	4
			2	8	
				8	4
				8	4
					0

4

				1	6
0.	4	2	)6.	7	2
			4	2	
			2	5	2
			2	5	2
					0

5

					2	7
1.	5	8	)4	2.	6	6
			3	1	6	
			1	1	0	6
			1	1	0	6
						0

6

					2	4
1.	3	6	)3	2.	6	4
			2	7	2	
				5	4	4
				5	4	4
						0

7 7　**8** 4　**9** 6

10 7　**11** 7　**12** 9

13 4　**14** 3　**15** 2

16 12　**17** 14　**18** 23

19 9　**20** 26　**21** 25

DAY 04　64~65쪽

1. 자릿수가 같은 (소수)÷(소수)

1 26, 3　**2** 102, 6

3 455, 455, 35, 13　**4** 112, 784, 112, 7

5 1364, 124, 1364, 124, 11

6 7　**7** 6　**8** 5

9 4　**10** 6　**11** 7

12 15　**13** 15　**14** 4

15 3　**16** 8　**17** 16

DAY 05　66~67쪽

1. 자릿수가 같은 (소수)÷(소수)

1 8　**2** 16　**3** 7

4 4　**5** 8　**6** 9

7 8　**8** 11　**9** 15

10 22　**11** 21　**12** 8

13 4　**14** 5

15 9, 4, 8/(○) (　) (　)

16 3, 6, 8/(　) (　) (○)

17 5, 6, 2/(　) (○) (　)

생활 속 연산 6개

DAY 06　68~69쪽

2. 자릿수가 다른 (소수)÷(소수)

1

					1.	2
0.	3	0	)0.	3	6	0
				3	0	
					6	0
					6	0
						0

2

					1.	3
0.	4	0	)0.	5	2	0
				4	0	
				1	2	0
				1	2	0
						0

3

					1.	4
0.	2	0	)0.	2	8	0
				2	0	
					8	0
					8	0
						0

4

					2.	6
3.	2	0	)8.	3	2	0
			6	4	0	
			1	9	2	0
			1	9	2	0
						0

5 0.4　**6** 1.3　**7** 0.9

8 3.5　**9** 4.7　**10** 0.8

11 1.3　**12** 1.9　**13** 1.8

14 6.7　**15** 5.8　**16** 8.4

17 4.3　**18** 3.7　**19** 2.9

DAY 07　70~71쪽

2. 자릿수가 다른 (소수)÷(소수)

1 3.7, 60, 3.7　**2** 3.9, 240, 3.9

3 2.4, 540, 2.4

4 2.2　**5** 1.2　**6** 1.5

7 1.4　**8** 2.4　**9** 3.6

10 0.6　**11** 0.8　**12** 1.5

13 2.8　**14** 3.5　**15** 4.6

DAY 08　72~73쪽

2. 자릿수가 다른 (소수)÷(소수)

1

			2.	1
0.	3	)0.	6	3
			6	
				3
				3
				0

2

			1.	4
0.	6	)0.	8	4
			6	
			2	4
			2	4
				0

3

			1.	8
0.	7	)1.	2	6
			7	
			5	6
			5	6
				0

4

			1.	9
1.	4	)2.	6	6
		1	4	
		1	2	6
		1	2	6
				0

5

			3.	7
2.	6	)9.	6	2
		7	8	
		1	8	2
		1	8	2
				0

6

			2.	3
3.	4	)7.	8	2
		6	8	
		1	0	2
		1	0	2
				0

7 0.9　**8** 2.4　**9** 1.2

10 3.7　**11** 0.8　**12** 2.9

13 3.7　**14** 2.3　**15** 1.9

16 2.8　**17** 3.7　**18** 5.8

19 3.7　**20** 2.8　**21** 2.4

DAY 09　74~75쪽

2. 자릿수가 다른 (소수)÷(소수)

1 3.8, 9, 3.8　**2** 2.3, 38, 2.3

3 3.5, 67, 3.5/10

4 2.3　**5** 1.1　**6** 1.3

7 1.6　**8** 0.4　**9** 6.7

10 1.3　**11** 3.7　**12** 3.6

13 4.6　**14** 3.8　**15** 2.7

DAY 10 76~77쪽

2. 자릿수가 다른 (소수)÷(소수)

1 6.2 **2** 2.2 **3** 3.2

4 3.6 **5** 4.3 **6** 2.64

7 5.52 **8** 10.24 **9** 3.6

10 2.4 **11** 2.3 **12** 6.4

13 1.98 **14** 26.34

15 26.1, 14.3 **16** 11.2, 10.8

17 2.35, 6.1 **18** 2.8, 3.5

19 4.36, 3.34 **20** 1.9, 2.25

생활 속 연산 3.6배

DAY 11 78~79쪽

3. (자연수)÷(소수)

1

			6
0.	5	)3.	0
		3	0
			0

2

			5
1.	2	)6.	0
		6	0
			0

3

			6
1.	5	)9.	0
		9	0
			0

4

				8
1.	5	)1	2.	0
		1	2	0
				0

5

				5
2.	6	)1	3.	0
		1	3	0
				0

6

				5
3.	8	)1	9.	0
		1	9	0
				0

7

			3	6
1.	5	)5	4.	0
		4	5	
			9	0
			9	0
				0

8

			1	5
3.	4	)5	1.	0
		3	4	
		1	7	0
		1	7	0
				0

9

			1	5
5.	6	)8	4.	0
		5	6	
		2	8	0
		2	8	0
				0

10 5 **11** 8 **12** 5

13 10 **14** 14 **15** 15

16 6 **17** 5 **18** 8

19 25 **20** 15 **21** 15

22 65 **23** 54 **24** 42

DAY 12 80~81쪽

3. (자연수)÷(소수)

1 80, 80, 5 **2** 90, 90, 18

3 120, 24, 120, 24, 5

4 220, 44, 220, 44, 5

5 690, 46, 690, 46, 15

6 5 **7** 2 **8** 5

9 4 **10** 25 **11** 20

12 5 **13** 8 **14** 14

15 15 **16** 25 **17** 16

DAY 13 82~83쪽

3. (자연수)÷(소수)

1

					4
0	.7	5	)3	.0	0
			3	0	0
					0

2

						8
4	.2	5	)3	4	.0	0
			3	4	0	0
						0

3

						8
2	.2	5	)1	8	.0	0
			1	8	0	0
						0

4

						4
5	.2	5	)2	1	.0	0
			2	1	0	0
						0

5

						2	4
4	.7	5	)1	1	4	.0	0
				9	5	0	
				1	9	0	0
				1	9	0	0
							0

6

						3	6
3	.2	5	)1	1	7	.0	0
				9	7	5	
				1	9	5	0
				1	9	5	0
							0

7 20 **8** 25 **9** 4
10 8 **11** 4 **12** 12
13 25 **14** 44 **15** 75
16 32 **17** 24 **18** 50
19 72 **20** 60 **21** 16

DAY 14 84~85쪽

3. (자연수)÷(소수)

1 600, 600, 8 **2** 500, 500, 20
3 1300, 325, 1300, 325, 4
4 4200, 175, 4200, 175, 24
5 5000, 625, 5000, 625, 8
6 8 **7** 12 **8** 50
9 60 **10** 8 **11** 8
12 25 **13** 75 **14** 28
15 12 **16** 50 **17** 36

DAY 15 86~87쪽

3. (자연수)÷(소수)

1 80 **2** 50 **3** 25
4 300 **5** 125 **6** 500
7 40 **8** 50 **9** 225
10 20 **11** 200 **12** 50
13 250 **14** 25 **15** 8
16 32 **17** 8 **18** 16
19 25 **20** 75 **21** 28
22 32 **23** 50 **24** 36

DAY 16 88~89쪽

4. 몫을 반올림하여 나타내기

1

	1.	1	6	/1.2
6)	7.	0	0	
	6			
	1	0		
		6		
		4	0	
		3	6	
			4	

2

		1.	8	5	/1.9
7)	1	3.	0	0	
		7			
		6	0		
		5	6		
			4	0	
			3	5	
				5	

3

			1.	6	3	/1.6
1	9)	3	1.	0	0	
		1	9			
		1	2	0		
		1	1	4		
				6	0	
				5	7	
					3	

4 1.666/1.67 **5** 0.555/0.56

6 1.285/1.29 **7** 2.714/2.71

8 1.444/1.44 **9** 3.833/3.83

10 1.076/1.08 **11** 1.928/1.93

12 1.222/1.22

DAY 17 90~91쪽

4. 몫을 반올림하여 나타내기

1

	0.	4	5	/0.5
7)	3.	2	0	
	2	8		
		4	0	
		3	5	
			5	

2

	0.	5	7	/0.6
6)	3.	4	7	
	3	0		
		4	7	
		4	2	
			5	

3

		0.	3	2	/0.3
1	2)	3.	9	4	
		3	6		
			3	4	
			2	4	
			1	0	

4 0.23/0.2 **5** 0.38/0.4

6 2.78/2.8 **7** 0.10/0.1

8 0.62/0.6 **9** 1.61/1.6

10 0.66/0.7 **11** 0.17/0.2

12 1.61/1.6 **13** 0.88/0.9

14 12.16/12.2 **15** 3.76/3.8

DAY 18 92~93쪽

4. 몫을 반올림하여 나타내기

1

	0.	2	6	6
3	)0.	8	0	0
		6		
		2	0	
		1	8	
			2	0
			1	8
				2

/0.27

2

	0.	3	5	5
9	)3.	2	0	0
	2	7		
		5	0	
		4	5	
			5	0
			4	5
				5

/0.36

3

	1.	0	8	8
6	)6.	5	3	0
	6			
		5	3	
		4	8	
			5	0
			4	8
				2

/1.09

4 0.114/0.11　**5** 1.633/1.63

6 6.042/6.04　**7** 0.226/0.23

8 1.078/1.08　**9** 3.384/3.38

10 0.358/0.36　**11** 0.456/0.46

12 1.217/1.22

생활 속 연산 2.97배

DAY 19 94~95쪽

5. 나누어 주고 남는 양 알아보기

1

	2	
2	)4.	3
	4	
	0.	3

/2, 0.3

2

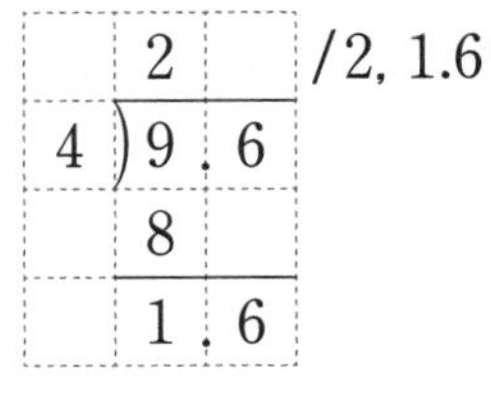

	2	
4	)9.	6
	8	
	1.	6

/2, 1.6

3

	1	1	
8	)9	2.	4
	8		
	1	2	
		8	
		4.	4

/11, 4.4

4

	1	2	
6	)7	3.	5
	6		
	1	3	
	1	2	
		1.	5

/12, 1.5

5 2, 1.3　**6** 2, 2.5

7 3, 0.3　**8** 3, 1.4

9 4, 1.9　**10** 3, 6.8

11 4, 2.7　**12** 5, 4.5

13 4, 12.9　**14** 5, 1.8

DAY 20 96~97쪽

5. 나누어 주고 남는 양 알아보기

1

			9
0.	8	)7.	8
		7	2
		0.	6

/9, 0.6

2

			6
1.	4	)9.	6
		8	4
		1.	2

/6, 1.2

3

			1	7
1.	4	)2	3.	9
		1	4	
			9	9
			9	8
			0.	1

/17, 0.1

4

			4	6
0.	7	)3	2.	7
		2	8	
			4	7
			4	2
			0.	5

/46, 0.5

5 8, 0.5

6 3, 0.8

7 16, 0.4

8 6, 0.3

9 28, 0.2

10 30, 0.3

11 6, 2

12 12, 1.2

13 12, 0.6

14 11, 3.8

DAY 21 98~99쪽

5. 나누어 주고 남는 양 알아보기

1

			9
0	.8	)7	.8
		7	2
		0	.6

/9, 0.6

2

			4
1	.4	)5	.7
		5	6
		0	.1

/4, 0.1

3

			7	9
0	.3	)2	3	.9
		2	1	
			2	9
			2	7
			0	.2

/79, 0.2

4

			4	4
1	.4	)6	2	.5
		5	6	
			6	5
			5	6
			0	.9

/44, 0.9

5

			2	3
1	.8	)4	2	.5
		3	6	
			6	5
			5	4
			1	.1

/23, 1.1

6

			3	4
2	.6	)8	9	.6
		7	8	
		1	1	6
		1	0	4
			1	.2

/34, 1.2

7 2, 2.8/2, 2.8

8 1, 5.7/1, 5.7

9 5, 4.3/5, 4.3

10 4, 0.6/4, 0.6

11 6, 0.7/6, 0.7

12 7, 1.1/7, 1.1

생활 속 연산 41명, 0.14 m

DAY 22 100~101쪽

6. 나눗셈의 몫과 나머지를 바르게 구했는지 확인하기

1

			4
0	.3	)1	.3
		1	2
		0	.1

/0.3×4+0.1=1.3

2

			2
1	.7	)4	.9
		3	4
		1	.5

/1.7×2+1.5=4.9

3

				1	6
0	.2	4	)3	.9	7
			2	4	
			1	5	7
			1	4	4
			0	.1	3

/0.24×16+0.13=3.97

4

				2	7
0	.2	2	)6	.0	8
			4	4	
			1	6	8
			1	5	4
			0	.1	4

/0.22×27+0.14=6.08

5 9 ··· 0.2/0.7×9+0.2=6.5

6 4 ··· 0.9/1.9×4+0.9=8.5

7 45 ··· 0.2/0.3×45+0.2=13.7

8 52 ··· 0.5/0.7×52+0.5=36.9

9 5 ··· 5.4/13.3×5+5.4=71.9

10 4 ··· 13.4/20.5×4+13.4=95.4

11 2 ··· 11.12/17.4×2+11.12=45.92

12 5 ··· 4.97/11.6×5+4.97=62.97

DAY 23 102~103쪽

마무리 연산

1 7	2 3	3 4
4 6	5 38	6 14
7 6	8 4	9 4
10 15	11 13	12 16
13 24	14 32	15 1.9
16 1.8	17 2.4	18 2.9
19 3.8	20 7.4	21 4.6
22 2.8	23 3.8	24 2.7
25 3.7	26 2.8	27 2.4
28 2.5	29 3.6	

DAY 24 104~105쪽

마무리 연산

1 25	2 5	3 15
4 52	5 5	6 26
7 5	8 36	9 25
10 60	11 16	12 28
13 25	14 4	

15 2, 1.9, 1.89	16 1, 1.4, 1.44
17 3, 3.5, 3.47	18 6, 5.8, 5.83
19 3, 0.5	20 2, 1.4
21 47, 0.2	22 35, 1.3

3단계 비례식

DAY 01 108~109쪽

1. 비의 성질

1 2	2 3	3 5
4 6	5 0.4	6 0.8
7 $\frac{1}{2}$	8 $\frac{3}{4}$	9 7
10 8	11 9	12 10
13 14	14 20	15 0.5
16 0.9	17 1.6	18 1.8
19 $\frac{3}{4}$	20 $\frac{4}{7}$	

DAY 02 110~111쪽

1. 비의 성질

1 4, 8, 20	2 8, 40, 24
3 9, 63, 81	4 5, 45, 30
5 5, 60, 70	6 7, 98, 70
7 4, 64, 72	8 5, 90, 70
9 5, 5	10 30, 6
11 56, 7	12 80, 8
13 66, 84, 6	14 52, 36, 4
15 5, 90	16 5, 85
17 2, 42, 32	18 3, 72, 60

DAY 03 112~113쪽

1. 비의 성질

1	2, 2, 3	**2**	3, 2, 1
3	4, 2, 3	**4**	2, 5, 4
5	6, 2, 3	**6**	5, 4, 5
7	9, 3, 5	**8**	7, 4, 3
9	3, 5	**10**	3, 2
11	3, 4	**12**	2, 8
13	7, 6, 3	**14**	4, 3, 6
15	9, 2	**16**	7, 5
17	8, 5, 3	**18**	6, 9, 8

DAY 04 114~115쪽

1. 비의 성질

1	6 : 9	**2**	1 : 3	**3**	24 : 18
4	4 : 16	**5**	21 : 12	**6**	5 : 4
7	22 : 24	**8**	5 : 12	**9**	105 : 119
10	4 : 6				

11 **12**  **13**

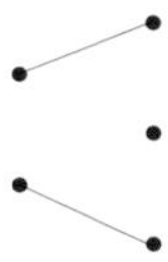

14  **15** 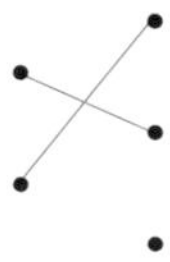 **16**

생활 속 연산 20 cm

DAY 05 116~117쪽

2. 간단한 자연수의 비로 나타내기

1	3, 3, 1, 4	**2**	4, 4, 2, 5
3	2, 2, 5, 1	**4**	6, 6, 2, 3
5	8, 8, 3, 2	**6**	5, 5, 6, 5
7	9, 9, 5, 7	**8**	7, 7, 8, 7

9	1 : 8	**10**	3 : 7	**11**	2 : 7
12	3 : 5	**13**	5 : 8	**14**	4 : 5
15	5 : 4	**16**	3 : 5	**17**	3 : 4
18	6 : 7	**19**	8 : 5	**20**	7 : 5

DAY 06 118~119쪽

2. 간단한 자연수의 비로 나타내기

1 10, 4, 7 **2** 10, 14, 31

3 10, 5, 35, 5, 35, 1, 7

4 10, 27, 6, 27, 6, 9, 2

5 10, 24, 32, 24, 32, 3, 4

6 10, 42, 54, 42, 54, 7, 9

7	3 : 8	**8**	7 : 9	**9**	3 : 2
10	8 : 3	**11**	4 : 3	**12**	2 : 1
13	16 : 25	**14**	13 : 15	**15**	64 : 37
16	9 : 7	**17**	1 : 8	**18**	28 : 9

DAY 07 120~121쪽

2. 간단한 자연수의 비로 나타내기

1 12, 4, 3 **2** 18, 15, 4

3 28, 21, 12, 21, 12, 7, 4

4 35, 14, 20, 14, 20, 7, 10

5 4, 4, 12, 16, 9

6 3, 7, 3, 4, 7, 6, 7

7 5 : 3 **8** 7 : 4 **9** 16 : 15

10 21 : 25 **11** 5 : 8 **12** 11 : 14

13 35 : 48 **14** 78 : 35 **15** 9 : 11

16 6 : 5 **17** 4 : 15 **18** 7 : 10

DAY 08 122~123쪽

2. 간단한 자연수의 비로 나타내기

1 10, 15, 15, 1, 3 **2** 10, 18, 18, 7, 9

3 70, 63, 63, 10, 21 **4** 20, 50, 50, 1, 2

5 11 : 15 **6** 6 : 5 **7** 10 : 1

8 14 : 5 **9** 24 : 25 **10** 7 : 6

11 25 : 21 **12** 10 : 3

생활 속 연산 11 : 5

DAY 09 124~125쪽

마무리 연산

1 32, 56, 8 **2** 30, 54, 6

3 5, 65 **4** 2, 28

5 3, 66, 75 **6** 5, 7, 3

7 3, 4 **8** 4, 7

9 9, 4, 3 **10** 7, 7, 5

11 15 : 12 **12** 64 : 40 **13** 60 : 35

14 45 : 33 **15** 100 : 65 **16** 12 : 7

17 1 : 2 **18** 8 : 10 **19** 12 : 16

20 15 : 10

DAY 10 126~127쪽

마무리 연산

1 2 : 9 **2** 2 : 5 **3** 3 : 5

4 4 : 7 **5** 8 : 3 **6** 9 : 7

7 15 : 8 **8** 26 : 15 **9** 4 : 3

10 3 : 4 **11** 4 : 7 **12** 16 : 11

13 5 : 4 **14** 7 : 8 **15** 35 : 36

16 5 : 4 **17** 3 : 14 **18** 22 : 7

19 26 : 1 **20** 7 : 8 **21** 9 : 14

22 5 : 6 **23** 7 : 12 **24** 3 : 8

4단계 비례배분

DAY 01 130~131쪽

1. 비례식

1 12, 18

2 49, 63

3 20 : 25=4 : 5 (또는 4 : 5=20 : 25)

4 18 : 10=9 : 5 (또는 9 : 5=18 : 10)

5 6 : 5=48 : 40 (또는 48 : 40=6 : 5)

6 27 : 45=3 : 5 (또는 3 : 5=27 : 45)

7 8 : 11=24 : 33 (또는 24 : 33=8 : 11)

8 5 : 8=20 : 32 (또는 20 : 32=5 : 8)

9 0.3 : 0.4=6 : 8 (또는 6 : 8=0.3 : 0.4)

10 24 : 27=0.8 : 0.9 (또는 0.8 : 0.9=24 : 27)

11 2 : 1=1.4 : 0.7 (또는 1.4 : 0.7=2 : 1)

12 2.8 : 3.2=7 : 8 (또는 7 : 8=2.8 : 3.2)

13 3.6 : 2.4=12 : 8 (또는 12 : 8=3.6 : 2.4)

14 4 : 3=4.8 : 3.6 (또는 4.8 : 3.6=4 : 3)

15 $\frac{1}{3} : \frac{1}{5}=10 : 6$ $\left(\text{또는 } 10 : 6=\frac{1}{3} : \frac{1}{5}\right)$

16 $16 : 9=\frac{2}{3} : \frac{3}{8}$ $\left(\text{또는 } \frac{2}{3} : \frac{3}{8}=16 : 9\right)$

17 $63 : 24=\frac{3}{4} : \frac{2}{7}$ $\left(\text{또는 } \frac{3}{4} : \frac{2}{7}=63 : 24\right)$

18 $\frac{3}{5} : \frac{2}{3}=36 : 40$ $\left(\text{또는 } 36 : 40=\frac{3}{5} : \frac{2}{3}\right)$

DAY 02 132~133쪽

1. 비례식

1 외항, 내항

2 내항, 외항

3 0.5, 9, 0.9, 5

4 1.8, 8, 1.6, 9

5 외항, $\frac{1}{3}$, 3

6 $\frac{4}{5}$, 15, 외항

7 7, 12/3, 28

8 8, 56/7, 64

9 24, 5/30, 4

10 35, 2/14, 5

11 0.3, 5/0.5, 3

12 1.6, 1/0.4, 4

13 2.5, 3/1.5, 5

14 3.2, 13/2.6, 16

15 $\frac{3}{5}$, 5/$\frac{3}{8}$, 8

16 $\frac{2}{7}$, 14/$\frac{4}{9}$, 9

DAY 03 134~135쪽

2. 비례식의 성질

1 39, 36/×

2 90, 90/○

3 3, 3/○

4 6, 12/×

5 2, 2/○

6 6, 4/×

7 ○

8 ×

9 ×

10 ○

11 ○

12 ×

13 ×

14 ○

15 ○

16 ×

17 ○

18 ×

DAY 04 136~137쪽

2. 비례식의 성질

1	18, 18, 6			2	100, 100, 20
3	140, 140, 4			4	90, 90, 9
5	25	6	2	7	8
8	7	9	10	10	6
11	4	12	3	13	25
14	8	15	5	16	54

DAY 05 138~139쪽

2. 비례식의 성질

1	2.8, 2.8, 7			2	3.6, 3.6, 1.2
3	3, 3, 1			4	5, 5, 6
5	18	6	1.8	7	3.4
8	19	9	4.2	10	5
11	10	12	$\frac{1}{6}$	13	16
14	$\frac{5}{6}$				

생활 속 연산 12 km

DAY 06 140~141쪽

3. 비례배분

1	9/1, 1, 3			2	15/3, 3, 9
3	12/3, 2, 18			4	30/2, 5, 12
5	6, 10	6	16, 12	7	12, 20
8	16, 24	9	7, 49	10	24, 42
11	56, 16	12	49, 35	13	48, 44
14	60, 40	15	50, 60	16	72, 48

DAY 07 142~143쪽

3. 비례배분

1	2, 4	2	6, 3	3	8, 6
4	4, 14	5	9, 12	6	15, 10
7	21, 12	8	10, 25	9	24, 18
10	28, 18	11	24, 28	12	15, 40
13	45, 25	14	44, 32	15	40, 42
16	32, 56	17	50, 45	18	72, 27
19	32, 48	20	32, 36		

DAY 08 144~145쪽

3. 비례배분

1	4, 12/10, 6	2	6, 12/8, 10
3	15, 5/8, 12	4	18, 9/21, 6
5	18, 12/14, 16	6	16, 20/15, 21
7	12, 30/33, 9	8	18, 30/20, 28
9	12, 42/26, 28	10	24, 32/35, 21
11	25, 35/28, 32	12	36, 12/15, 33
13	32, 40/44, 28	14	21, 35/32, 24
15	50, 30/65, 15	16	40, 56/44, 52
17	28, 98/91, 35	18	100, 120/121, 99

생활 속 연산 280 g, 420 g

DAY 09 146~147쪽

마무리 연산

1 ○	2 ×	3 ×
4 ○	5 ○	6 ×
7 ×	8 ○	9 ×
10 ×	11 ○	12 ×
13 16	14 18	15 5
16 9	17 11	18 10
19 6	20 5	21 9
22 9	23 18	24 54

DAY 10 148~149쪽

마무리 연산

1 18	2 1.6	3 3.4
4 13	5 4.5	6 7
7 4	8 5.6	9 12
10 $\frac{4}{5}$	11 $\frac{4}{9}$	12 30
13 10, 2	14 9, 6	15 10, 12
16 12, 14	17 16, 18	18 15, 24
19 16, 28	20 30, 27	21 40, 25
22 24, 54	23 40, 42	24 36, 63

5단계 원의 넓이

DAY 01 152~153쪽

1. 원주 구하기

1 3, 9	2 5, 15	3 7, 21
4 9, 27	5 11, 3, 33	6 13, 3, 39
7 6.2	8 12.4	9 18.6
10 24.8	11 31	12 37.2
13 43.4	14 49.6	15 55.8
16 62		

DAY 02 154~155쪽

1. 원주 구하기

1 2, 12	2 4, 24	3 6, 2, 36
4 8, 2, 48	5 10, 2, 3, 60	6 12, 2, 3, 72
7 6.2	8 18.6	9 31
10 43.4	11 55.8	12 68.2
13 80.6	14 93	15 105.4
16 117.8		

DAY 03 156~157쪽

1. 원주 구하기

1 36	2 27	3 42
4 39	5 48	6 51
7 60	8 63	9 66
10 75	11 12.56	12 18.84
13 25.12	14 31.4	15 75.36
16 87.92	17 94.2	18 141.3

생활 속 연산 78 cm

DAY 04 158~159쪽

2. 지름, 반지름 구하기

1 15, 5 **2** 21, 7 **3** 27, 9
4 33, 11 **5** 39, 3, 13 **6** 42, 3, 14
7 4 **8** 5 **9** 7
10 8 **11** 10 **12** 13
13 17 **14** 20 **15** 23
16 27

DAY 05 160~161쪽

2. 지름, 반지름 구하기

1 4 **2** 6 **3** 8
4 10 **5** 12 **6** 15
7 20 **8** 22 **9** 25
10 30 **11** 3 **12** 6
13 7 **14** 10 **15** 12
16 15 **17** 20 **18** 25
19 27 **20** 30

DAY 06 162~163쪽

2. 지름, 반지름 구하기

1 12, 2 **2** 30, 5 **3** 42, 7
4 54, 9 **5** 84, 3, 14 **6** 90, 3, 15
7 2 **8** 4 **9** 5
10 7 **11** 9 **12** 10
13 12 **14** 15 **15** 17
16 20

DAY 07 164~165쪽

2. 지름, 반지름 구하기

1 4 **2** 6 **3** 8
4 11 **5** 13 **6** 16
7 20 **8** 23 **9** 26
10 30 **11** 2 **12** 6
13 8 **14** 10 **15** 11
16 13 **17** 15 **18** 20

생활 속 연산 17 cm

DAY 08 166~167쪽

3. 원의 넓이 구하기

1 9, 9, 243 **2** 11, 11, 363
3 13, 13, 3, 507 **4** 15, 15, 3, 675
5 12.4 **6** 49.6 **7** 111.6
8 198.4 **9** 310 **10** 446.4
11 607.6 **12** 793.6 **13** 1004.4
14 1240

DAY 09 168~169쪽

3. 원의 넓이 구하기

1 10, 5/5, 5, 75 **2** 12, 6/6, 6, 108
3 14, 7/7, 7, 147 **4** 18, 9/9, 9, 243
5 27.9 **6** 49.6 **7** 198.4
8 375.1 **9** 446.4 **10** 523.9
11 697.5 **12** 793.6 **13** 895.9
14 1004.4

DAY 10 170~171쪽

3. 원의 넓이 구하기

1 27	**2** 75	**3** 147
4 192	**5** 363	**6** 507
7 675	**8** 867	**9** 1083
10 1323	**11** 12.56	**12** 28.26
13 38.465	**14** 78.5	**15** 254.34
16 314	**17** 379.94	**18** 452.16

DAY 11 172~173쪽

마무리 연산

1 58.9	**2** 62	**3** 71.3
4 74.4	**5** 83.7	**6** 86.8
7 96.1	**8** 99.2	**9** 108.5
10 111.6	**11** 4	**12** 8
13 9	**14** 11	**15** 14
16 16	**17** 17	**18** 19
19 21	**20** 24	

DAY 12 174~175쪽

마무리 연산

1 3	**2** 6	**3** 8
4 11	**5** 14	**6** 16
7 19	**8** 21	**9** 25
10 30	**11** 300	**12** 507
13 588	**14** 675	**15** 867
16 1083	**17** 1200	**18** 1323
19 1452	**20** 1587	

MEMO

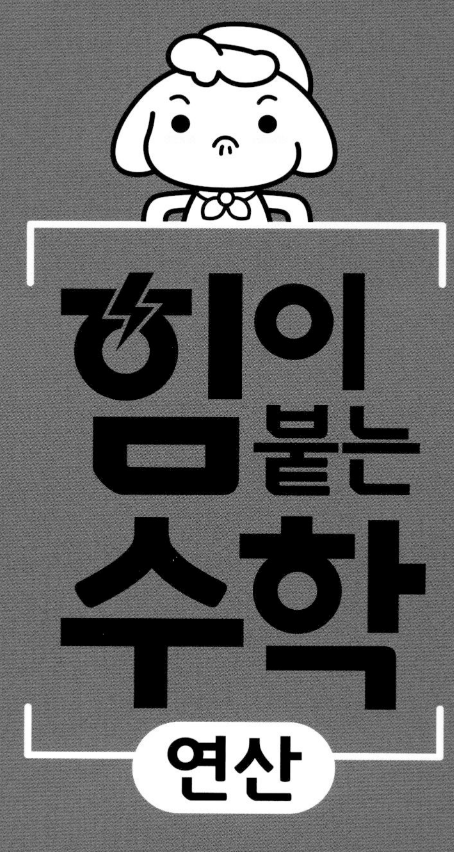

초등 6B

힘이 붙는 수학

연산

힘이 붙는 수학 연산